# A SOCIABILIDADE DO HOMEM SIMPLES

Cotidiano e História na modernidade anômala

José de Souza Martins

# A SOCIABILIDADE DO HOMEM SIMPLES

Cotidiano e História na modernidade anômala

editoracontexto

*Foto de capa*
José de Souza Martins

*Montagem de capa e diagramação*
Gustavo S. Vilas Boas

*Revisão*
Gissela Mate

Dados Internacionais de Catalogação na Publicação (CIP)
(Câmara Brasileira do Livro, SP, Brasil)

Martins, José de Souza, 1938- .
A sociabilidade do homem simples : cotidiano e história na
modernidade anômala / José de Souza Martins. –
3. ed., 4ª reimpressão. – São Paulo : Contexto, 2023.

Bibliografia.
ISBN 978-85-7244-385-2

1. História 2. Memória 3. Senso comum 4. Sociologia
5. Vida cotidiana – Habilidades básicas I. Título.

07-9639 CDD-301

Índice para catálogo sistemático:
1. Sociologia 301

2023

EDITORA CONTEXTO
Diretor editorial: *Jaime Pinsky*

Rua Dr. José Elias, 520 – Alto da Lapa
05083-030 – São Paulo – SP
PABX: (11) 3832 5838
contato@editoracontexto.com.br
www.editoracontexto.com.br

*A*
*Ecléa e Alfredo Bosi*

# Sumário

# Introdução

"Um dos maiores dilemas do pensamento brasileiro, no presente,
é compreender o homem comum."
*Octavio Ianni,* **Sociologia e Sociedade no Brasil**.

Proponho-me, neste livro, a tratar da vida social do homem simples e cotidiano, cuja existência é atravessada por mecanismos de dominação e de alienação que distorcem sua compreensão da História e do próprio destino. Todos nós somos esse homem que não só luta para viver a vida de todo dia, mas que luta também para compreender um viver que lhe escapa porque não raro se apresenta como absurdo, como se fosse um viver destituído de sentido. É um livro, meio escrito e meio falado, que lida com o complicado problema da crescente prevalência da cotidianidade no processo histórico.

Trato nestes ensaios e entrevistas, portanto, das condições adversas e novas para o fazer História, para que o homem comum se torne agente ativo de seu destino, neste tempo da modernidade, numa sociedade de modernidade frágil como a nossa sociedade brasileira. Uma sociedade dividida de muitos modos, marcada pela diversidade de tempos que se adiantam e que se atrasam, negando-se, por isso, na falta da coerência, ainda que aparente, que é tão característica das sociedades propriamente modernas.

Optei, por isso, pelo método de abordá-la na incoerência em que ela se propõe à compreensão do sociólogo, como elenco de enigmas e de aparentes irrelevâncias. Os capítulos do livro constituem um conjunto de punções nesse complicado todo, esmiuçando diferentes momentos desse mosaico de desencontros para, em cada um, encontrar o liame oculto da unidade do diverso.

Nessa adversidade, a questão é saber como a História irrompe na vida de todo dia. Como, no tempo miúdo da vida cotidiana, travamos o embate, sem certeza nem clareza, pelas conquistas fundamentais do gênero humano; por aquilo que liberta o homem das múltiplas misérias que o fazem pobre de tudo: de condições adequadas de vida, de tempo para si e para os seus, de liberdade, de imaginação, de prazer no trabalho, de criatividade, de alegria e de festa, de compreensão ativa de seu lugar na construção social da realidade. Uma vida em que, além do mais, tudo parece falso e falsificado, até mesmo a esperança, porque só o fastio e o medo parecem autênticos. Na abundância aparente, não estamos realizados – estamos apenas saturados e cansados em face dos poderes que parecem nos privar de uma inteligência histórica do nosso agir cotidiano.

De um lado, o herói deste enredo é o homem comum, fragmentado, divorciado de si mesmo e de sua obra, mas obstinado no seu propósito de mudar a vida, de fazer História, ainda que pelos tortuosos caminhos de sua alienação e de seus desencontros, os difíceis caminhos cotidianos da vida. De outro lado, a complexidade do problema está no modo anômalo e inacabado como a modernidade se propõe num país como o Brasil e na realidade descompassada desta nossa América Latina. Nosso enigma é hoje o enigma da captura desse homem comum pelos mecanismos de estranhamento de uma cotidianidade que exacerba a mutilação de nosso relacionamento com nossas possibilidades históricas e mutila a compreensão dos limites que cada momento histórico nos propõe.

Nosso entendimento científico desses desencontros está distorcido e limitado por um conceitualismo descabido, transplante de interpretações de realidades sociais que são outras, distantes e diferentes, que nos torna estrangeiros em face do que realmente somos e vivemos. Não podemos nos reconhecer e compreender no espelho baço da cópia. Neste país de bacharéis, falamos muito e imitamos muito. Euclides da Cunha fez um refinado discurso europeu sobre a tragédia dos miseráveis de Canudos, que ele nunca compreendeu, porque não compreendia a linguagem do silêncio e dos silenciados; porque não compreendia a dialética de um fazer História à margem da realidade dominante e das ideias dominantes. Chegou ao sertão árido de Canudos, num cenário de miséria e morte, trajando camisa de seda.

Ele, oficial militar que ali estava como jornalista ilustrado, e os oficiais envolvidos na guerra contra os sertanejos místicos imaginavam-se na França de 1789. Chamavam-se entre si de cidadãos, e o eram, de uma república imaginária, transportando para o Brasil de terra adentro a reacionária e insubmissa Vandeia dos pobres da terra para derrotá-la aqui a ferro e fogo. O Brasil das elites, republicanas ou não, era uma ficção, e o povo mera massa informe de matéria-prima para moldar o cidadão fictício que somos até hoje.

Para todos nós sempre foi muito difícil compreender as ciladas da travessia, os desafios e a riqueza da nossa inautenticidade, do nosso hibridismo, da nossa lentidão e do nosso vir a ser que não se cumpre senão de modo sempre incompleto e sempre insuficiente. Temos medo de ser o que somos ou o que temos podido ser.

Mas, a História não acabou nem a esperança morreu. Somos outro modo de ser, outro jeito, outra espera, outra vereda na universalidade do mesmo gênero humano e nas diferenças próprias da dinâmica histórica. O que sobrou do que nos tiraram é o que fecunda a nossa espera. Nossas privações são a nossa riqueza e o nosso desafio. Mas, com as ferramentas da cópia nada construiremos e nada compreenderemos.

O propósito deste livro é o de uma reflexão a esse respeito, uma proposta de compreensão de como a esperança se torna práxis na adversidade das mediações que tornam inautêntico o nosso viver e o nosso sonhar. O livro se situa, assim, na ampla temática do reencontro possível do homem consigo mesmo, na diferença de nossa especificidade histórica.

O livro contém, além do mais, uma proposta metodológica, a de tomar o que é liminar, marginal e anômalo como referência da compreensão sociológica. É nos limites, nos extremos, na periferia da realidade social que a indagação sociológica se torna fecunda, quando fica evidente que a explicação do todo concreto é incompleta e pobre se não passa pela mediação do insignificante. É nesses momentos e situações de protagonismo oculto e mutilado dos simples, das pessoas comuns, dos que foram postos à margem da História, do homem sem qualidade[1] que a sociedade propõe ao sociólogo suas indagações mais complexas, seus problemas mais ricos, sua diversidade teoricamente mais desafiadora. São os simples que nos libertam dos simplismos, que nos pedem a explicação científica mais consistente, a melhor e mais profunda compreensão da totalidade concreta que reveste de sentido o visível e o invisível. O relevante está também no ínfimo. É na vida cotidiana que a História se desvenda ou se oculta.

Na sociologia que se difundiu entre nós, houve relativamente pouco interesse pelo cotidiano e seu personagem, pelo que parece e por quem parece banal e insignificante, pelo que se repete e por quem se repete e, por isso, anula a visibilidade do todo e a consciência crítica que daí decorre. Na urgência de acelerar a História para nos libertarmos de nosso atraso, de nossa pobreza e de nossas insuficiências, fizemos uma opção compreensível pelos grandes temas e pelos processos sociais decisivos da transformação social a qualquer preço. E o fizemos fechando os olhos e a inteligência ao reiterativo, como se fosse simples estorvo da História. Uma mutilação que anula a dimensão propriamente dialética da realidade social, suas contradições e seus desafios interpretativos.

Até mesmo uma sociologia "militante" e "de esquerda" passou a ser o parâmetro ética e politicamente regulador, para alguns, do que seria a sociologia "séria" e "científica". Forma extremada das ilusões e da alienação dos sociólogos que optam por essa via, que nada tem "de esquerda" e não raro tem pouco de sociológica, porque, fundamentalmente, nega em nome da História a historicidade das relações sociais. Descolam-se do real para lançar-se nas fabulações do quimérico, não raro autoritário, e fugir das dificuldades de compreensão da diversidade das contradições sociais e suas expressões no processo histórico. É o mesmo que esquecer a História que vivemos e fazemos no dia a dia do nosso presente, sabendo-o ou não.

Como mostra Henri Lefebvre no conjunto de sua obra, mas também Agnes Heller em vários de seus livros, não ignorar a vida cotidiana é o ponto de partida para decifrar sociologicamente o possível. Decifrá-lo na trama que enreda o repetitivo nos desafios e possibilidades do que não se repete, da História que na própria vida cotidiana propõe e define a práxis criativa que a transforma.

Condição para não cair no reducionismo do fantasioso, sobretudo das fantasias do inócuo que atravessam a vida da classe média da referência vivencial dos sociólogos. Armadilha da generosidade ideológica que bloqueia a competência sociológica.[2]

Na ânsia de conhecer o futuro e de nele nos reconhecermos, a nossa sociologia tem deixado de lado o presente e o atual, mesmo quando trata das urgências que nos afligem, como a pobreza, a violência, a injustiça, a opressão. Uma sociologia que tende ao conhecimento que nos nega em nome daquilo que não somos. Uma sociologia dominada pelo afã de poder e não pelo afã de emancipação do homem, de todo ser humano, daquilo que empobrece sua condição humana e bloqueia sua humanidade possível. Por opor-se a esse estreitamento, este livro é uma insurgência necessária.

## NOTAS

[1] Em vários momentos deste livro recorro, por expressivo, ao título que o escritor austríaco Robert Musil (1880-1942) deu ao seu romance inacabado. Refere-se ele ao pequeno-burguês Ulrich, a figura humana antecipatória do que viria a ser o homem simples da modernidade na relação incestuosa metafórica com sua irmã, expressão máxima e exacerbada do mesmo e da mesmice, do homem que na irmã se apaixona por si mesmo. No extremo, esse é o homem da cotidianidade e da modernidade, o homem movido por alteridades falsas e ilusórias. Cf. Robert Musil, ***O Homem sem Qualidades***, tradução de Lya Luft e Carlo Abbenseth, Editora Nova Fronteira, Rio de Janeiro, 1989.

[2] A ideologização do conhecimento não se limita à sociologia. Tem alcançado outras ciências humanas, como a antropologia, a história, a geografia. Incide sobre as opções temáticas, tanto na escolha de temas cuja relevância procede de pautas ideológicas quanto na censura velada a temas e problemas que não confirmam a relevância das escolhas que tendem a dar precedência e destaque ao que na realidade social exacerbaria o protagonismo e a própria história de determinados grupos sociais. Mas, fundamentalmente, incide sobre as questões de método, tanto nos métodos de investigação quanto nas simplificações dos métodos de explicação. Desse modo, a coleta de dados já imuniza as tensões e contradições da situação social investigada adequando-os à explicação que ressalta tensões e possibilidades que estão muito mais na opção ideológica do pesquisador do que na realidade observada. Para análises desses dilemas na antropologia, cf. Ruth C. L. Cardoso, "Aventuras de antropólogos em campo ou como escapar das armadilhas do método", *in* Ruth C. L. Cardoso (org.), ***A Aventura Antropológica – Teoria e Pesquisa***, Editora Paz e Terra, Rio de Janeiro, 1986, pp. 95-105; e Eunice R. Durham, "A pesquisa antropológica com populações urbanas: problemas e perspectivas", *in* Ruth C. L. Cardoso, cit., p. 26 e ss.

# PRIMEIRA PARTE

# As hesitações do moderno e as contradições da modernidade no Brasil*

"Ao longe, uma chuva fina
molha aquilo que não fomos."
Paulo Bomfim, "Aquilo que não fomos", **50 Anos de Poesia**.

## A autenticidade do inautêntico

O tema da modernidade está profundamente comprometido com o do progresso. Nesse sentido, é um tema das sociedades ricas e é sobretudo um tema europeu.[1] Na América Latina ainda é confundido, por alguns, com o tema do moderno em oposição ao tradicional, num curioso reavivamento das concepções dualistas dos anos cinquenta e sessenta. Essa interpretação de fundo positivista reinstaura o escalonamento do processo histórico, relegando ao passado e ao residual aquilo que supostamente não faria parte do tempo da modernidade, como o tradicionalismo dos pobres migrados do campo para a cidade, a cultura popular e a própria pobreza. Seriam manifestações anômalas e vencidas de uma sociabilidade extinta pela crescente e inevitável difusão da modernidade que decorreria do desenvolvimento econômico e da globalização.

No meu modo de ver, porém, e espero demonstrá-lo aqui, o estudo da modernidade nos países latino-americanos, como o

Brasil, passa, isso sim, pelo reconhecimento de sua anomalia e inconclusividade, embora tenha se tornado entre nós quase um cacoete de país subdesenvolvido na era da globalização: mais se fala da modernidade do que ela efetivamente é. As misérias, como o desemprego e o subemprego, os valores e as mentalidades produzidos pelo desenvolvimento dependente são partes integrantes da modernidade, embora de um ponto de vista teórico e tipológico não façam parte do moderno.

A modernidade só o é quando pode ser ao mesmo tempo o moderno e a consciência crítica do moderno; o moderno situado, objeto de consciência e ponderação.[2] A modernidade, nesse sentido, não se confunde com objetos e signos do moderno, porque a eles não se restringe, nem se separa da racionalidade que criou a ética da multiplicação do capital; que introduziu na vida social e na moralidade, até mesmo do homem comum, o cálculo, a ação social calculada na relação de meios e fins, a reconstituição cotidiana do sentido da ação e sua compreensão como mediação da sociabilidade.[3] Refiro-me à ética que fez do sujeito um objeto, e mesmo um objeto de si mesmo, o sujeito posto como estranho em relação a si próprio.[4]

A modernidade, enquanto moda e momento, é também a permanência do transitório e da incerteza, a angústia cotidiana da incerteza em face do progresso linear e supostamente infinito: a vida finita posta em face da realidade social, do futuro, supostamente sem fim.[5] A modernidade não está apenas nem principalmente na coleção dos signos do moderno que atravessam de diferentes modos a vida de todos nós. Modernidade é a realidade social e cultural produzida pela consciência da transitoriedade do novo e do atual.

Se levamos em conta a historicidade do homem, o homem como autor e protagonista de sua própria história, a história de sua humanização, a modernidade só é possível como momento contraditório dessa humanização. Momento que, por sua vez, cobra do homem o tributo de sua coisificação, de seu estranhamento em relação a si próprio, no ver-se pela mediação alienadora de um outro que é ele mesmo, embora não pareça. A modernidade, porém, não é feita pelo encontro homogeneizante da diversidade do homem, como sugere a concepção de globalização. É constituída, ainda, pelos ritmos desiguais do desenvolvimento econômico e social, pelo acelerado avanço tecnológico, pela acelerada e desproporcional acumulação de capital, pela imensa e crescente miséria globalizada, dos que têm fome e sede não só do que é essencial à reprodução humana, mas também fome e sede de justiça, de trabalho, de sonho, de alegria.[6] Fome e sede de realização democrática das promessas da modernidade, do que ela é para alguns e, ao mesmo tempo, apenas parece ser para todos.

A modernidade anuncia o possível, embora não o realize.[7] A modernidade é uma espécie de mistificação desmistificadora das imensas possibilidades de transformação humana e social que o capitalismo foi capaz de criar, mas não é capaz de realizar. Mistifica desmistificando porque põe diante da consciência de cada ser humano, e na vida cotidiana de cada um, todo o imenso catálogo de concepções e alternativas de vida que estão disponíveis no mercado globalizado. Basta ter os recursos para consegui-lo. Mistifica desmistificando porque anuncia que são coisas possíveis de um mundo possível, mas não contém nenhum item no seu mercado imenso que diga como conseguir tais recursos, que faça o milagre simples de transformar o possível em real. Isso cada um tem que descobrir; isso a coletividade das vítimas, dos incluídos de modo excludente, e não raro perverso, tem que descobrir.

Portanto, é mundo da modernidade o mundo contemporâneo bloqueado às alternativas do possível. Diferente do que acontecia no capitalismo clássico, o capitalismo dos modelos teóricos e interpretativos surgidos entre a segunda metade do século XIX e o período histórico que se fecha com a Segunda Guerra Mundial, a alienação do homem moderno, dos que trabalham e são explorados, já não se encerra num círculo funcional de enganos e mistificações eficazes. Já não é possível acobertar eficazmente as contradições por meio das ideologias que as recubram com seus enganos coerentes e lógicos. A modernidade é justamente este momento da história contemporânea em que a consigna não é acobertar as injustiças, a exploração, a degradação humana dos que foram condenados a carregar nos ombros o peso da História. A modernidade é, num certo sentido, o reino do cinismo: é constitutiva dela a denúncia das desigualdades e dos desencontros que a caracterizam. Nela, o capitalismo se antecipa à crítica radical de suas vítimas mais sofridas. Por isso, a modernidade não pode deixar de conter (e manipular) reconhecíveis evidências dos problemas e das contradições de que ela é expressão.

Ela é, nesse sentido, também a consciência crítica do moderno, isto é, a recusa da transitoriedade e da impotência que ele implica. A modernidade só o é na perspectiva da História e da historicidade do homem; na perspectiva da certeza, e não da incerteza, de que a vida e a práxis conduzem à constituição do humano, à humanização do homem, e não simplesmente e permanentemente à sua coisificação.[8] Essa realidade só pode se constituir onde as virtualidades da racionalidade do capital se propõem plenamente e abertamente; por certo, não se propõem no Terceiro Mundo senão de modo inacabado, incerto e dissimulado.

A modernidade se propõe muito mais como estratégia de compreensão e de administração das irracionalidades e contradições da sociedade capitalista do que como disseminação ilimitada da racionalidade ocidental e capitalista. O que se propõe à vida de todos os dias do homem contemporâneo não é essa racionalidade ilimitada, mas seus problemas, sua inconclusividade, suas dificuldades. O homem comum tem que descobrir e inventar caminhos para superá-las. A modernidade se instaura quando o conflito se torna cotidiano e se dissemina, sobretudo sob a forma de conflito cultural, de disputa entre valores sociais, de permanente proposição da necessidade de optar entre isto e aquilo, entre o novo e fugaz, de um lado, e o costumeiro e tradicional, de outro. Porém, uma opção esgotada na própria tentativa de optar, pois é opção impossível: o mundo, inclusive o mundo da vida cotidiana, já não é nem uma coisa nem outra, embora pareça ser os dois ou, melhor, os vários e diversos.

A modernidade não é só o moderno e, menos ainda, o modernismo.[9] Na América Latina, é uma modernidade constituída ao mesmo tempo por temporalidades que não são as suas.[10] A diversidade dos tempos históricos que se combinam nessa modernidade difícil, como observam Canclini e Schelling;[11] incorpora a cultura popular que pouco ou nada tem de moderno; mas, insisto, incorpora também efetivas relações sociais datadas, vestígios de outras estruturas e situações que são ainda, no entanto, realidades e relações vivas e vitais. E que anunciam a historicidade do homem nesses desencontros de tempos, de ritmos e de possibilidades, nessas colagens.

Em diferentes sociedades essas dificuldades são propostas de modos diferentes. E o método de senso comum que se propõe para compreendê-las e manejá-las também é diferente em sociedades diferentes. Se a modernidade é o provisório permanente, o transitório como modo de vida, a moda, a nossa questão é saber qual a forma que ela assume em sociedades como as sociedades latino-americanas e na sociedade brasileira em particular, em muitos aspectos tão diversa do restante da América Latina. Se enfim, é o transitório e a consciência do transitório, da moda, como é que as condições sociais singulares desta sociedade propõem uma consciência singular e própria, um referencial crítico, uma consciência crítica do moderno, integrante do moderno, que não seja, ao mesmo tempo, expressão de uma consciência conservadora e, portanto, recusa do moderno?

Thompson, na Inglaterra, chamou a atenção para a importância que tiveram as condutas corporativas e a economia moral, a tradição portanto, para pôr limites sociais à imposição da racionalidade capitalista e à precedência do lucro a todos os níveis da vida social.[12] E mostrou que nessa resistência estava a origem dos direitos sociais modernos e não na universalização e na imposição unilateral dos interesses do capital, sobrepostos aos interesses propriamente sociais. Essa imposição significava a conversão do ser humano de sujeito em objeto, em vítima da racionalidade modernizante. Mesmo condicionada pelos interesses sociais e pelas resistências que lhe foram opostas, ela difundiu uma maneira social de ver-se de modo objetivo e impessoal.

Na sugestão de Fromm, essa lógica impôs a vigília como modo de vida e a tensão da consciência de vigília como legítima referência na vida de cada um. A consciência noturna e de sonho, o irracional enfim, restou como contraponto que humaniza a racionalização crescente da sociedade.[13] Contraponto que desconstrói o moderno e instaura a modernidade enquanto modo de vida dotado de consciência e não de inconsciência.[14] É a essa angústia que se refere Weber quando fala do movimento que define a civilização e no período contemporâneo o moderno e a modernidade: a infinitude, a carência de ritmos, a angústia da morte inevitável e da consciência da finitude em face de um imaginário de progresso linear, infinito e interminável.[15]

No caso latino-americano e, sobretudo, brasileiro, a crítica constitutiva da modernidade vem do "hibridismo" cultural, da conjunção de passado e presente, do inacabado e inconcluso, do recurso ao tradicionalismo e ao conservadorismo que questionam a realidade social moderna e as concepções que dela fazem parte e a mediatizam; a opressão e os absurdos do moderno, da racionalidade, da quantidade, do modismo, do transitório e passageiro como maneira permanente de viver e de ser. O inacabado e inconcluso, a modernidade que não se completa, produziu no Brasil uma consciência social dupla, o diverso segmentado e distribuído nos compartimentos da cultura e da vida.

É na literatura brasileira, mais do que nas ciências sociais, que essa dimensão sociológica fundamental de nossa realidade aparece de modo nítido. Macunaíma, personagem de Mário de Andrade, é o herói sem nenhum caráter, o indefinido, o híbrido. Mas, é em Guimarães Rosa que esse traço fundante da história social do país e da cultura brasileira está posto do modo mais belo e mais claro: a travessia. É na travessia, na passagem, no inacabado e inconcluso, no permanentemente incompleto, no atravessar sem chegar, que está presente o nosso modo de ser – nos perigos do indefinido e da liminaridade, por isso viver é perigoso. Esta é uma sociedade fraturada entre o fasto e o nefasto,[16] que se necessitam dialeticamente, o rio que divide nossa alma e nossa consciência, nossa compreensão sempre insuficiente do que somos e do que não somos e queremos ser. E mais que tudo, é nessa ideia de uma consciência literária dos duplos, das formas do falso,[17] dos avessos, do descolamento entre forma e conteúdo, expressão do inacabado e inacabável, que está também posto o nosso justo medo da travessia, nossa condição de vítimas, mais do que de beneficiários, da modernidade.[18]

Mas, é na literatura também que nossas dificuldades para realizar a travessia estão postas de maneira clara. Em *O Coronel e o Lobisomem,* de José Cândido de Carvalho, a personagem não distingue entre o mundo dos vivos e o mundo dos mortos; não distingue entre o real e o fantástico. Esse é um tema bem latino-americano: está em *Cem Anos de Solidão,* de Gabriel García Márquez, a vida diluída no descompasso de um tempo que se tornou lento e de uma consciência da lentidão; em *Redoble por Rancas,* de Manuel Scorza, na cerca que avança por si mesma, como se fosse dotada de vida, cercando, privando e derrotando o homem entre um fim de tarde e um começo de manhã; está na indistinção entre o mítico e o real em *Pedro Páramo* e em *El Llano en Llamas*, de Juan Rulfo; está na bela série televisiva de Carlos Fuentes, *El Espejo Enterrado*.[19]

Está, também, na surpreendente fotografia de Rulfo, nas profundidades de perspectiva que revelam a impotente pequenez dos humanos no Novo Mundo ou seu caráter residual em relação aos monumentos e cenários arruinados, o mundo da margem, dos lugares mais fundos da sociedade, da obra humana perdida na linha do horizonte.[20]

Ou na fotografia de Sebastião Salgado, que põe o gênero humano do Terceiro Mundo em face de coisas e situações que tornam as pessoas vencidas, engolidas pela coisificação das imensas obras do capital; ou sucumbidas ante as marcas e o peso do trabalho onde a acumulação ainda é acumulação primitiva, como na série sobre Serra Pelada. E mesmo onde não o é; rostos recobertos de pó de carvão coque, corpos recobertos de petróleo, corpos recobertos de lama, pessoas fisicamente convertidas em extensão das coisas. No limite, a expressão trágica da coisificação na lógica terceiro-mundista, a da medonha conversão de milhares de seres humanos em dejetos e descartes, mortos-vivos sem terra nem destino, nas fotografias que Salgado reuniu em *Êxodos*.[21]

Mesmo no olhar estrangeiro de Lévi-Strauss, em sua belíssima série de fotografias sobre o Brasil, os signos da modernidade, na cidade e no campo, aparecem como distantes ou invasores ou como esfumadas dificuldades da travessia.[22] Não raro, as fotos de Lévi-Strauss foram feitas nas mesmas perspectivas adotadas nas gravuras e nos desenhos dos viajantes europeus que percorreram o Brasil ou várias de suas regiões no século XIX. Aliás, é nessas gravuras e nesses desenhos que a estranheza da modernidade chega ao Brasil: chega como olhar surpreso que destaca nas gentes e nos cenários o antimoderno do exótico e tropical, na ânsia do moderno por devorá-los, como devoraria.

Ou o exotismo do moderno, como nas fotos de Claude Lévi-Strauss na cidade de São Paulo, que intencionalmente surpreendem a invasão do tradicional e antigo pelo exótico de edifícios, pessoas ou situações que tem outra data e atestam a realidade de outro tempo.

Ora o moderno aparece como objeto, ora aparece como contraponto de um mundo que persiste e invade, como uma espécie de notação musical para indicar o modo apropriado de ler a pauta e a sequência das notas numa peça dodecafônica.[23] Bem diferente do que ocorre com as fotografias brasileiras dessa época, que procuram destacar em São Paulo as evidências de uma modernidade que era superficial e apenas aparente e assim continua sendo; que denotam uma ansiedade por estar adiante do tempo da história real e de suas contradições, um imenso abismo aberto entre os momentos desencontrados da realidade e entre as humanidades que a compõem.

A modernidade nos chega, pois, pelo seu contrário e estrangeira, como expressão do ver e não como expressão do ser, do viver e do acontecer. Chega-nos como uma modernidade epidérmica e desconfortável sob a forma do fardo nas costas do escravo negro, ele mesmo negação do capital e do capitalismo, embora agente humano e desumanizado do lucro naquele momento histórico. Ou sob a forma da vigilância cotidiana no panóptico oculto numa vila inteira de operários da São Paulo Railway, construída no século XIX, no Alto da Serra, em São Paulo, a Vila de Paranapiacaba.[24] Mais de cem anos depois ainda passeia pelas ruas o olhar fantasma da disciplina e do poder do capital sobre o trabalho, na ordem do arruamento, na posição e no formato das casas, devassadas por um olho real e fictício instalado na própria alma de trabalhadores e moradores, o olho do medo.

Aos poucos essa visualidade se enraíza e passa do exótico ao dramático na redescoberta de que a violência e o primitivismo da acumulação originária recomeça sempre e redesenha sempre as mesmas imagens. Muda, porém, o olhar e quem olha para ultrapassar o exótico das formas e reencontrar nas minúcias e contrapontos da imagem as contradições fundas que produzem ao mesmo tempo a riqueza fácil e a humilhação de quem trabalha. Nesse olhar, de constatação e denúncia, que é o olhar documental de Sebastião Salgado, está um momento consumado da modernidade, sob a forma do fardo de minério nas costas do garimpeiro de Serra Pelada, estátua de barro subindo intermináveis escadas desde as profundezas da terra, ser humano recoberto de lama como se ele próprio estivesse sendo extraído da jazida de ouro, confundido e misturado com a matéria que carrega, consumido por ela, resíduo dela.

A que parâmetros recorre a modernidade para "ver-se", situar-se, compreender-se (recusar-se) nessas situações? Recorre ao (in)moderno, ao não moderno, ao mundo rústico, ao sertão, onde estariam nossas raízes e nossa autenticidade. Que raízes? Aquilo que ficou residualmente à margem da racionalidade limitada do lucro no mundo colonial e no processo de constituição do mercado interno. Aquilo que parece exterior à nova ordem, que parece não fazer parte dela.

A referência da compreensão crítica, brasileira e latino-americana, da modernidade, na arte, na literatura, nas ciências sociais, tem sido esse confronto entre o novo e seu padrão lógico racional e secularizado, de um lado, e aquilo que a tradição nos legou, as obras do passado, que são também as sobras, o irrelevante, do incapturável pelos mecanismos de dominação e de exploração. Esse tem sido o método que nos revela o que o moderno tem de postiço, de estranho e de "estrangeiro" em relação a nós. É o método que se volta para o desencontro dos tempos históricos que marcam e demarcam a realidade brasileira e latino-americana, as relações sociais, as mentalidades, as utopias. Nossas desigualdades sociais são também o nosso descompasso histórico em relação ao que já é real em outras partes, que nos chega fragmentariamente, incompletamente. A força das formas sociais, econômicas, estilísticas é que nos faz agentes de uma modernidade aparente, desprovida de laços fundos com os processos sociais, anúncio de nossas privações.

É na consciência desses desencontros e confrontos que ganha corpo o método interpretativo que se faz presente tanto na literatura, quanto na arte, quanto nas ciências sociais. Pode parecer positivismo aqui e dialética ali ou pode ser a híbrida confusão de ambas as orientações epistemológicas. Nas diferenças formais dos distintos cânones de produção do conhecimento e da consciência social, subjaz um procedimento revelador e denunciador: tanto o positivismo quanto a dialética, ainda que de modos radicalmente opostos, nos falam de desencontros de tempos sociais, de desigualdades que neles se expressam, de bloqueios históricos a que se cumpram plenamente em terras da América Latina as promessas e as possibilidades históricas que se cumprem com mais facilidade e naturalidade nos países metropolitanos e hegemônicos.[25]

Nossa crítica, a crítica que atravessa nossa consciência social nos documentos que a expressam – a literatura, a arte, as ciências sociais –, não é uma crítica humanística, enquanto resistência engajada na produção do novo e dele constitutiva, como nas análises de Thompson a que me referi. Não é a crítica procedente dos interesses sociais das vítimas do desenvolvimento dependente e distorcido, como se já estivesse formulada e organizada, já definida e assumida como referência da compreensão das mudanças e das transformações sociais centradas no lucro e na acumulação e dos problemas sociais que deles resultam, base, portanto, de um antagonismo ativo.

Nossa crítica é antes resistência ao novo, que ainda assim aponta-lhe as irracionalidades, a desumanização que contém e dissemina. Mas, uma resistência passiva, dissimulada, que não repercute em doutrinas, em partidos, em ações políticas ou culturais organizadas. Os estudos sociológicos sobre as resistências à mudança e, sobretudo, as políticas oficiais de difusão de inovações e a pedagogia do extensionismo engajam até mesmo a universidade na missão de impor o moderno compulsório e de demolir e depreciar a força crítica da tradição.[26]

Mesmo a consciência nacionalista que se nutre das tradições populares é uma forma política de reconhecimento das irracionalidades do moderno, mas sobretudo na concepção distorcida do seu caráter supostamente postiço e estrangeiro. Uma combinação incongruente, porque o nacionalismo que dá forma ao nosso desenvolvimentismo propugna o moderno sem propugnar a modernidade. Acata e legitima as formas modernas, a racionalidade do lucro, a organização racional do trabalho, o espetáculo colorido da comunicação de massa, mas é ao mesmo tempo conservador, resistente a um modo de vida, o da modernidade, e às perturbações sociais que poderiam resultar da disseminação das diferenças (de mentalidade, de orientação política, de multiplicidade social) e de uma verdadeira concepção do privado e da vida privada. Politicamente, somos de vocação liberal, mas de um liberalismo fundado nas tradições do poder pessoal e do clientelismo político, seus opostos. A contradição tremula na bandeira nacional: "Ordem e progresso". Entre nós, o progresso tem se subordinado ao primado da ordem, mesmo quando parecemos convictamente modernos.

Por tudo isso, no Brasil, o tradicional apenas lentamente se transformou em referência crítica das irracionalidades do moderno. Também por isso, a modernidade foi recebida entre nós às gargalhadas,[27] na ironia teatral, literária e musical e mesmo no anedotário de rua, como se ela de fato não trouxesse consigo profundas transformações sociais, como se fosse apenas um erro da história.[28] A música sertaneja, um gênero musical aparentemente de origem rural, mas de fato urbana, inspirada nas tradições musicais caipiras, que surgiu em São Paulo no final dos anos vinte, às vésperas da Revolução de 1930, uma revolução modernizante, foi desde o início uma ácida crítica dos elementos mais expressivos da modernidade na cidade e ao mesmo tempo um meio de compreendê-la. Um gênero de música que combinava as possibilidades discrepantes do antigo circo itinerante e as novas possibilidades modernas do disco e do rádio.[29] Portanto, um gênero que emerge no momento de melhor e mais completa definição dos contornos da modernidade no Brasil, no contraste com o mundo rural e tradicional que estava ruindo.

A melhor expressão de nossa consciência crítica da modernidade é o deboche, não a reivindicação social nem a crítica social propriamente dita, que poderia levar a um certo controle dos rumos da modernização em nome dos interesses sociais dos que seriam por ela prejudicados. Essa é, na origem, a nossa crítica mutilada. Com a Revolução de 1930, e já antes, na Semana de Arte Moderna, ganhou visibilidade e consciência a situação social e política que dava sentido ao tradicionalismo, aos regionalismos, como se vê no que pode ser definido como a obra antropológica de Mário de Andrade, em suas pesquisas folclóricas. Momento de exacerbação do desenvolvimentismo e, portanto, de intensa difusão do moderno, momento de transformação do permanente em provisório, das estabilidades e certezas da sociedade tradicional e agrícola em instabilidades e incertezas da sociedade urbano-industrial, foi também momento de consciente recuperação do tradicional como contraponto e base dessa ironia e dessa consciência.

Ao contrário do que ocorreu na Inglaterra das referências de Thompson, não foi uma modalidade de consciência social que contrapusesse o direito costumeiro à voracidade e à exploração do capital, da modernização e do desenvolvimentismo. O riso bem o indica. Não o foi por uma razão simples: o mundo da tradição foi e tem sido entre nós muito mais o mundo da fé e da festa do que o mundo das regras nas relações de trabalho, do direito costumeiro e dos privilégios ligados às corporações profissionais. Sociedade originada da escravidão e da desigualdade étnica e social institucionalizada nos estamentos, em que as corporações de ofício foram extremamente débeis, mais um instrumento de controle do rei sobre o povo do que um instrumento de afirmação dos direitos do povo em face da monarquia absoluta, nunca dispôs de um código de direitos sociais. Foi mais a sociedade do castigo e da privação do que a sociedade do privilégio. Sociedade estamental, Portugal regulamentou no Brasil as relações sociais apenas onde fosse necessário para assegurar os privilégios da elite branca e católica e as diferenças sociais em que se fundavam. E mesmo o Brasil independente, até o Brasil republicano, foi e tem sido lento e tardio no reconhecimento da igualdade social de todos, negros e brancos, mulheres e homens, pobres e ricos.

Aqui o tradicionalismo foi sem dúvida referência mais de uma consciência nacional do que de uma consciência social. Mesmo quando o nacionalismo declinou, nesta era da globalização, a expressão mais viva do tradicionalismo, a cultura popular, não teve dificuldades para se ajustar na aparência à modernidade, sobretudo à modernidade cultural. Diferente do que pensam outros autores, entendo que há aí uma contradição a ser explicada. A cultura popular carrega consigo o seu tempo histórico, que só lentamente se dilui para dar lugar a formas culturais desenraizadas e, portanto, desprovidas dos liames de autenticidade que lhes davam sentido em outros tempos e em outras situações, isto é, formas puras e intercambiáveis. Sem dúvida a modernidade pode fazer do tradicional e do costumeiro realidades descartáveis, dos quais necessita como puras formas. Mesmo aí, a recuperação da cultura popular e do tradicionalismo que ela expressa e contém não pode se integrar na modernidade senão como anomalia e problema. Sobretudo porque esse tradicionalismo encerra o persistente, o passado, ainda que atualizado, e o costumeiro. Uma anomalia, portanto, na situação social própria da modernidade, dominada pela moda, pelo moderno e pelo passageiro.

Nesse quadro e nessa situação, a constituição do nacional não expressa *necessariamente* um momento da modernidade, mas sim das dificuldades do moderno. No caso brasileiro, o grande passo no sentido da modernização, que foi a Revolução de 1930, com sua centralização política e sua política econômica desenvolvimentista, procurou se legitimar na cultura popular e nas tradições, que se tornaram, por isso, as raízes culturais do nosso nacionalismo. Mais que tudo, a constituição do nacional expressa não a inviabilidade do moderno e da modernização, mas as hesitações da modernidade, um fenômeno cultural e social inteiramente estranho à constituição das nacionalidades. A modernidade (e não o moderno) é um fenômeno historicamente recente, marcado sobretudo pela diluição das identidades, como as identidades nacionais, pela composição heterogênea do cultural e do social.

Minha suposição é a de que o quadro é mais complicado e mais difícil. Nas referências acima, parece que o pensamento artístico e literário incorpora o popular para adquirir cores próprias. No meu modo de ver, essa combinação apenas sugere o anseio por uma especificidade, por afastar-se da colagem cultural, na busca de autenticidade. O que aí se reconhece é que somos inautênticos. Macunaíma não é autêntico; não tem caráter.[30] Umbanda é a forma inautêntica do candomblé desfigurado pela repressão policial.[31] Não seriam as seitas pentecostais o inautêntico do protestantismo exigido pelas condições do atual desenvolvimento capitalista? Elas constituem uma versão emocional do protestantismo; afirmação e negação do protestantismo histórico. E o catolicismo popular seria, no fundo, o inautêntico do catolicismo romano. Nossa autenticidade está no inautêntico.

## Incertezas do avesso

Nessa perspectiva, penso que é metodologicamente necessário conduzir a investigação da modernidade brasileira pela via oposta à da tese do popular que nela se incorpora para dar-lhe cores e identidade. Minha proposta é a de que a questão da modernidade no Brasil fica melhor compreendida quando investigamos o modo como o moderno e os signos da modernidade são incorporados pelo popular. Nessa mediação é que se pode observar as dificuldades da modernidade.

As muitas observações que fiz na periferia das cidades grandes, no meio rural e na frente de expansão da sociedade brasileira,[32] sobretudo na região amazônica, mostram-me o moderno transformado em simulação, em máscara, em expressão da inautenticidade. Nesse sentido, o moderno capturado pela mentalidade tradicional na trama de relações sociais que não se modernizam além de certo ponto, bloqueadas pela condição dependente do capitalismo na periferia dos centros hegemônicos. Essa referência da sociedade camponesa e tradicional constitui a base da crítica do moderno na própria ação, a crítica sem clareza que se expressa muito mais no rir do que no pensar. Ainda assim é crítica e, sem dúvida, ilumina as incongruências, insuficiências e irracionalidades da modernização. O riso crítico nasce e se apoia, justamente, na desengonçada e caricatural junção do que é propriamente moderno com o que não o é; na forçada convivência de relações desencontradas, culturas justapostas e desfiguradas pela justaposição. O moderno, nesse caso, não é substantivamente ele mesmo. Somos, por isso, todos ambíguos, presos nas incertezas de uma travessia inconclusa e sem destino.

E não se trata apenas da cultura. Essas dificuldades estão presentes nas relações sociais reais. A extensa disseminação da peonagem, a escravidão por dívida, nas novas fazendas da fronteira, abertas com a onda de ocupação da Amazônia nas últimas décadas, mas não só nelas, nos fala de uma dificuldade estrutural na expansão do modo capitalista de *reprodução* do capital. E, portanto, naquilo que é o âmago do moderno. Aí as coisas se combinam de modo estranho. As fazendas em que tem sido encontrado maior número de trabalhadores escravizados pertencem justamente a grandes conglomerados econômicos, não raro multinacionais. A escravidão aí não é persistência do passado em fazendas de propriedade de empedernidos latifundiários ainda apegados às tradições da dominação pessoal. Ao contrário, são fazendas organizadas segundo as concepções e as possibilidades mais modernas do grande capital.

Na Fazenda Vale do Rio Cristalino, quando ainda pertencia ao grupo alemão Volkswagen, uma fazenda de criação de gado de corte para exportação à Alemanha, a tecnologia empregada era da maior sofisticação: chips eram implantados nos animais para por esse meio monitorar suas condições de saúde e determinar o momento apropriado do abate. As informações por esse meio obtidas lá nos pastos do sul do Pará, na Amazônia, eram processadas por computador e diariamente retransmitidas para a sede da empresa em São Paulo de onde provinham as decisões fundamentais. A carne do gado a ser abatido no frigorífico local destinava-se ao embarco imediato em grandes aviões, a carne refrigerada naturalmente na altitude do voo e desembarcada no dia seguinte na Alemanha. Porém, todas essas notáveis expressões da modernidade funcionavam com base no trabalho de quinhentos escravos empregados no desmatamento e na formação das pastagens.

Esse é apenas um dos casos dentre os muitos constatados e denunciados por organizações humanitárias e até por autoridades governamentais nos últimos pouco mais que trinta anos. Oitenta mil cativos foram contados nesse período apenas com base nas evidências oferecidas pelos casos que chegaram a ser objeto de denúncia e verificação. Grandes corporações financeiras e grandes empresas multinacionais valeram-se da escravidão para estender a modernização aos novos territórios da fronteira. É possível demonstrar, e já o fiz, que essa relação de trabalho socialmente irracional e anticapitalista se insere racionalmente no processo de reprodução ampliada do capital, sendo mais lucrativa do que o trabalho assalariado propriamente dito. Mediante a degradação das relações de trabalho, sob a forma de escravidão, ainda que temporária, as empresas que a ela recorrem mantém a coerência do cálculo capitalista com a redução da proporção do capital variável, representado pelo trabalho, em relação ao capital constante. Desse modo, o capital opera como se fosse capital de alta composição orgânica, moderna portanto, com base, porém, numa forma arcaica e violenta de trabalho.[33]

A chamada acumulação primitiva de capital, na periferia do mundo capitalista, não é um momento precedente do capitalismo, mas é contemporânea da acumulação capitalista propriamente dita. Num balanço da Organização Internacional do Trabalho, a estimativa é a de que há no mundo, hoje, pelo menos 12 milhões e 300 mil cativos.[34] Estão situados sobretudo nas chamadas economias emergentes, as que recorrem até extensamente à escravidão como forma de acumulação primitiva combinada com a reprodução do grande capital. Um fato desalentador é o de que a escravidão não só ocorre em direta relação com a grande economia globalizada, mas também o de que "as modalidades tradicionais de trabalho forçado estão se modernizando",[35] isto é, estão se aperfeiçoando como modo arcaico de exploração do trabalho, sem evoluírem para formas propriamente modernas e contratuais de relações de trabalho. Sem dúvida é uma contradição, que complica porém a compreensão dos dinamismos sociais.

São situações que fazem da modernidade um artifício, ainda que funcional e necessário na sua irracionalidade, que é o modo como a violência nas relações de trabalho encontra saída e acobertamento. A economia colonial se desenvolveu com base na combinação da produção direta dos meios de vida e da produção de mercadorias para os países metropolitanos: como o açúcar, o café.[36] O trabalhador no geral produzia sua própria subsistência e se dedicava, também, geralmente em terra alheia, à produção do artigo exportável. Em sua produção de subsistência se produzia (e se produz ainda) um mundo de relações sociais não capitalistas: não só as técnicas são primitivas (ainda é uma agricultura baseada na enxada), mas as relações sociais são familistas e comunitárias.[37]

É evidente que esse mundo sofre contaminações variáveis da economia de mercado, não só pela comercialização dos excedentes da subsistência, mas também pela compra de artigos complementares da subsistência (tecido, querosene para iluminação, alguns alimentos, remédios, etc), possível também graças aos rendimentos monetários, ainda que reduzidos, dos produtos especificamente destinados ao comércio. Embora a produção direta dos meios de vida tenha tido e tenha ainda a função de reduzir o custo da força de trabalho embutida na mercadoria comercializada ou exportada, acabou definindo um modo de vida típico nas zonas rurais. A mercadoria chega à casa do trabalhador como um luxo ou como algo que é estranho a esse modo de vida, embora nessas peculiares condições históricas estejam algumas de suas determinações fundamentais. Não é casual que essas mercadorias acabem se tornando um quase fetiche.

Latas e garrafas de plástico são reutilizados muito além de suas funções originais. Copos descartáveis de plástico são lavados e reempregados no uso doméstico. Por muito tempo, os latoeiros do interior transformaram latas vazias de leite condensado em canecas para a água ou o café, e ainda o fazem. Latas de querosene vazias são transformadas em potes de água ou em regadores. E até mesmo vasilhames de defensivos agrícolas letais são reciclados como utensílios domésticos. O que Lewis definiu como cultura da pobreza,[38] constituída por essa acumulação de descartes dos ricos, vai se mostrando cada vez mais parte integrante da modernidade, ao contrário do que supunham os antropólogos de sua época.

Não é raro encontrar evidências da necessidade cultural de distinguir o que é novo, o que é usado e o que é reutilizado. Numa viagem que fiz entre Marabá, no Pará, e Imperatriz, no Maranhão, na Amazônia, o ônibus ia parando a cada instante para receber e desembarcar passageiros, como é próprio das regiões sertanejas. Na longa viagem tive por companheiro um sujeito relativamente jovem que usava dia e noite óculos de sol, tipo *ray-ban*, como aqueles que marcaram a imagem do General MacArthur. Com espanto, vi que uma das lentes ainda tinha o selo dourado da marca do fabricante. O calor era grande e a poeira era muita. A cada intervalo de tempo, o passageiro retirava cuidadosamente os óculos e com um lenço, já sujo pelo suor e pela poeira, "limpava" cuidadosamente as lentes de maneira a não remover o selo.

Essa é sem dúvida uma indicação de uma certa consciência da transitoriedade do moderno, da possibilidade da deterioração simbólica do objeto, mas é também indicação de que, nessa periferia do mundo moderno, artifícios são usados para prolongar o estado de novo das coisas, segundo a lógica tradicional e camponesa do uso, do usuário, e não do consumidor. É como se a mercadoria não se destinasse ao consumo, mas ao simples uso, o que nega a própria essência da mercadoria. Mais do que o estado de novo, o signo do estado de novo. Portanto, o signo do moderno, os óculos escuros, é engolido por uma lógica antimoderna, embora continue parecendo moderno. Este é o ponto: parecer moderno, mais do que ser moderno. A modernidade se apresenta, assim, como a máscara para ser vista. Está mais no âmbito do ser visto do que no do viver. Ora, de qualquer modo, mesmo que o tempo do mascaramento seja esse tempo pretérito, a máscara é a identidade superficial e fenomênica própria da modernidade. Os tempos contidos nas coisas e nas relações de certo modo se tornam falsos, articulados por um contemporâneo que é sobretudo aparência.

Num outro plano, lembro-me de um fato que observei quando fazia uma pesquisa sobre música folclórica e música caipira numa região tradicional e bem típica da agricultura de subsistência, a pouco mais de cem quilômetros da cidade de São Paulo. Eu entrevistava antigo e famoso violeiro do bairro rural, conhecido mestre da dança de são gonçalo,[39] exímio tocador da chamada viola caipira. Num certo momento chegou seu filho, ainda jovem. Perguntei-lhe se ele também tocava viola. Disse-me que não, que viola é coisa de caipira, de gente da roça, embora também ele vivesse e trabalhasse na roça. Quis saber se não tocava nenhum outro instrumento. Respondeu-me que tocava violão. Como sabemos, de certo modo no Brasil a viola é um signo do rural e o violão um signo do urbano. Mostrou-me seu violão. Para que não houvesse dúvida de que seu gosto musical não se confundia com o gosto musical "atrasado" e caipira do pai, havia colocado na parte da frente do instrumento um decalque de Nossa Senhora Aparecida e ao lado mandara gravar a fogo: "Ai love iú bêibi" (*I love you baby*)!

Por toda parte, na zona rural ou na periferia pobre das grandes cidades, é possível ver frases e palavras em inglês que aí chegam com a globalização como signos da modernidade: chega a palavra, mas não chega a língua nem chega o significado. Não é raro que na missa das igrejas dos bairros pobres, de população iletrada ou superficialmente alfabetizada, ver-se pessoas com camisetas em cujo dorso ou na frente está escrito em inglês algum palavrão ou alguma frase erótica.[40] Basicamente porque o que atrai o usuário é a forma e a cor das letras, além da língua estrangeira, embora ignore completamente o significado das palavras.

Mesmo coisas e instrumentos capazes de definir seu próprio uso, como o carro e o ônibus, acabam sendo empregados segundo uma lógica oposta à da modernidade que supostamente representam. Lembro-me de uma viagem que fiz entre Porto Alegre do Norte e São Félix do Araguaia, no Mato Grosso, no ônibus que três vezes por semana fazia esse trajeto. Saía de madrugada, sempre cheio. Dada a partida, o ônibus rapidamente foi chegando às últimas ruas do pequeno povoado. Um passageiro levantou-se e timidamente pediu para que o motorista passasse pela casa do compadre Fulano porque precisava apanhar umas sacas de arroz para vender, motivo da viagem. O motorista indignado disse-lhe que aquilo era um ônibus, que tinha horário e itinerário. O passageiro calou-se, esperou um pouco, voltou para sua poltrona e em seguida retornou ao motorista: "Ah! Então não vou." Foi deixado na beira da estrada, na madrugada ainda escura, já bem longe do povoado.

Durante toda a viagem coisas do mesmo teor aconteceram: passageiros que esperavam o ônibus parar completamente para então começarem a se despedir demoradamente dos companheiros de viagem lá no fundo do veículo. Era como se estivessem saindo de uma dessas famosas reuniões de cozinha da roça. Ou, então, os que estavam na estrada, à espera do ônibus, esperavam que ele parasse para começar as despedidas dos que os haviam acompanhado até ali. Demoravam-se fazendo inúmeras recomendações sobre os animais domésticos e mandando lembranças a pessoas de que haviam se despedido apenas momentos antes.

Esse óbvio desencontro entre o corpo educado nos princípios do decoro e da tradição e, portanto, nos princípios da precedência da pessoa em relação à coisa, e o veículo concebido e utilizado na lógica oposta do lucro e da pressa, do tempo que tem preço, contrapõe e junta ritmos e concepções de mundos opostos. O mundo social é antigo e antiquado, mas o ônibus da modernidade chegou lá.

As grandes cidades brasileiras estão cheias de sinais das anomalias da modernidade. A vida cotidiana se transforma em face dos obstáculos à modernização, progressivamente dominada por condutas, gestos, mentalidades em que o hibridismo cultural se faz presente: nos modos de vestir, de comer, mas também no uso do carro mesmo pela classe média e pelos ricos. Não raro modernos automóveis são dirigidos como se os motoristas estivessem montados num cavalo chucro, sem qualquer consideração por aquilo que é sem dúvida um dos ingredientes da modernidade: as regras e leis de trânsito. Como se o "animal" de cada um fizesse suas próprias regras.

A situação dos chamados excluídos, nas grandes cidades, como São Paulo, leva a uma complicada combinação de modernidade e miséria (ou não será a miséria um dos componentes da modernidade?). Na Favela de São Remo, uma invasão de terrenos públicos e particulares na vizinhança da Universidade de São Paulo, e em terrenos da própria Universidade, o cenário é o de um desarticulado conjunto de casas inacabadas e sem alinhamento, cujos moradores são, em pequena parte, prestadores de serviços na Universidade.[41] No entanto, um surpreendente número de antenas parabólicas indica que a casa incompleta e precária e a mesa pobre não estranham a tecnologia sofisticada do satélite e o imaginário luxuoso e manipulável da televisão. É como se as pessoas morassem no interior da imagem e comessem imagens. A imagem se tornou no imaginário da modernidade um nutriente tão ou mais fundamental do que o pão, a água e o livro. Ela justifica todos os sacrifícios, privações e também transgressões.

No meu modo de ver, isso sugere uma decorrência daquilo que Guterman e Lefebvre denominaram a força das formas,[42] uma certa vida própria que as diferentes formas sociais e ideológicas adquirem com o desenvolvimento do capitalismo. A teoria desse desenvolvimento tendeu durante muito tempo a destacar uma certa conexão obrigatória entre o desenvolvimento econômico, o desenvolvimento social e a formação das ideologias e das instituições. O tempo mostrou, porém, que esses diferentes âmbitos se desenvolvem desencontradamente e quanto mais o capitalismo cresce globalmente e se amplia espacialmente mais autonomia as formas sociais parecem ganhar. Ao mesmo tempo, mais força tais formas ganham na captura do real e do imaginário.

Essas autonomias aparentes são responsáveis pela mescla livre do que não é nem igual nem contemporâneo, justamente uma das características básicas da modernidade enquanto modo de viver e de pensar. Tudo parece passível de combinação. Os estranhos não se estranham. Não surpreende, pois, que a comida faltante se encontre facilmente com a imagem farta. Nesse mundo específico, que é o mundo da modernidade, as fraturas que de fato desencontram e separam o que não deveria estar junto e combinado, são cimentadas pelo imaginário. No fundo, a modernidade exacerbou o imaginário, a capacidade de fabulação, e encolheu a imaginação, a capacidade social de criar saídas e inovações para os problemas.[43] Com isso, ampliou a capacidade social de racionalizar e justificar o injustificável. A competência imaginativa tornou-se uma estratégia de vida e até de sobrevivência. Posso exemplificar a força dramática dessa realidade com um caso real de que tomei conhecimento, casualmente, há alguns anos. Como, provavelmente, acontece em toda a parte, o presidente da República recebe diariamente muitas cartas dos cidadãos do país com os mais diferentes apelos e pedidos. Uma equipe de leitores de cartas se encarrega de encaminhá-las aos setores apropriados e de respondê-las. Uma dessas cartas foi escrita por uma adolescente e dizia: "Sou preta e feia. Mas, o sonho de minha vida é ser paquita da Xuxa".

A modernidade postiça está documentada nessa carta patética. A missivista acredita que o presidente da República é capaz de consertar um dos mais graves defeitos sociais do país, o preconceito racial, do qual ela mesma é involuntariamente agente. Xuxa, como se sabe, é uma apresentadora de programas infantis na televisão, branca, loira e de olhos claros, descendente de italianos do norte da Itália. Apresenta-se cercada por uma corte de adolescentes, as paquitas, suas auxiliares, igualmente brancas. Na carta e no drama estão presentes vários dos traços dessa sociedade problemática: o racismo, a concepção ingênua do poder; e, ao mesmo tempo, o poder da televisão na difusão de um imaginário que faz com que uma adolescente negra se veja e se considere feia porque não é loira, de olhos azuis, porque não é a imagem que circula autonomamente, desconectada dos seres humanos de carne e osso. E, no fim, o simulacro da cidadania e da democracia: todos os cidadãos podem dirigir-se livremente ao presidente da República; mas o pedido da adolescente negra não é um pedido que a democracia possa atender. Ela é vítima de um duplo equívoco: de um lado, o da confusão entre a cidadã e a pedinte; de outro, a confusão entre o real e o imaginário. Sem defesa, ela é capturada pelo imaginário e se recusa a si mesma.

Edifícios públicos e particulares do ícone da modernidade urbana no Brasil, a cidade de São Paulo, estão completamente emporcalhados por pichações com tinta *spray*. Raramente se pode reconhecer nelas uma palavra com sentido. No geral, são sinais de compreensão hermética, acessível apenas às gangues juvenis. Nessas pichações se escreve o nada. A escrita é nesse caso um rabisco, um sinal do signo, documento do híbrido, mas, sobretudo, do inconcluso e da superficialidade do moderno representado pelo tubo de tinta e as possibilidades de seu uso doméstico ou artístico. Apenas demarcação de território, de posse e mando simbólicos. Há aí, sem dúvida, expressão de uma vontade de poder e, ao mesmo tempo, reconhecimento da própria impotência em face da modernidade que exclui e deprecia quem não tem acesso a ela e nela não está.

A pichação indica uma vontade de se apossar da cidade, não pelo uso, próprio do cidadão e do integrado, e sim pelo consumo predatório de quem tem uma relação de estranhamento e desamor com a cidade em que vive. Não se trata de construir significados, mas de demoli-los, de desfigurar o cenário e as referências de todos os dias e de todos. A pichação é o retrato da falta de consciência social, da descontinuidade entre o analfabetismo funcional dos pichadores e a cultura do monumento (e a civilização que ele representa e significa). É a tentativa de impor a visualidade do iletrado à visualidade artística da obra. É uma guerra de símbolos. É uma denúncia da descontinuidade entre incluídos e excluídos (e de que a exclusão é cultural e muito mais extensa do que a exclusão econômica). Denúncia, também, da falta de consciência da descontinuidade entre o rabisco e a palavra. Documento, enfim, do acesso fácil ao instrumento moderno, o *spray*, e a incapacidade de acesso a suas melhores possibilidades: o grafite, a arte da grafitagem, a palavra e a imagem com sentido.

O mais vigoroso movimento social da atualidade no Brasil é também expressão dos desencontros dessa modernidade estrangeira e desenraizada. O Movimento dos Trabalhadores Rurais Sem Terra,[44] uma poderosa organização de camponeses expulsos ou privados da terra de que necessitam para trabalhar, tem como bandeira de luta o socialismo. Seu radicalismo político vai a ponto de seus integrantes recusarem participação no processo político ou mesmo a possibilidade de lançarem candidatos ao Congresso Nacional através do Partido dos Trabalhadores, que apoiam e que os apoia. Ouvi de uma dirigente nacional do Movimento, numa conferência pública no Rio de Janeiro, quando um operário ansioso lhe perguntou se os participantes do Movimento eram revolucionários e se estavam preparando a revolução, que sim, eram revolucionários e por isso não pretendiam lançar nenhum candidato ao "parlamento burguês do país".[45]

Curiosamente, no entanto, é o que ocorre nos assentamentos do programa de reforma agrária do governo em que há a presença política do Movimento na direção e na organização. Ali, o fato mais importante é a modernização tecnológica e econômica acompanhada de uma notável criatividade social, uma verdadeira reinvenção da sociedade. Uma clara reação aos efeitos perversos do desenvolvimento excludente e da própria modernidade. No geral, há uma grande proporção de jovens, sobretudo casais jovens, tanto nos acampamentos das ocupações de terras, quanto nos assentamentos, nas terras oficialmente distribuídas pelo governo. O que se explica pelo fato de que o Movimento é sobretudo movimento dos jovens trabalhadores rurais para os quais a continuidade no trabalho agrícola se tornou inviável, pela insuficiência de terra nos minifúndios para sustentar permanentemente mais do que uma família, a família paterna.

São jovens trabalhadores que procedem de famílias muito conservadoras, com uma visão do mundo familística e religiosa, sobretudo católica, quase sempre arredias em relação a pessoas que não sejam conhecidas. Nos acampamentos, na fase da luta pela terra, acabam se ressocializando por força do convívio e dos enfrentamentos conjuntos com estranhos. Há aí, pois, um alargamento de horizontes e de convivência. Nos assentamentos, o horizonte alargado pelo período de sociabilidade instável dos acampamentos, se enriquece com a abertura para o de fora, o recente. Mas, ao mesmo tempo, retorna às estruturas fundamentais do familismo e da vizinhança rurais.

Na ressocialização modernizadora dos acampamentos, na verdade, as concepções tradicionais a respeito de parentesco e outros relacionamentos se revigoram, ganham um dinamismo inexistente antes dessa experiência. Em decorrência, nos assentamentos, a sociedade é literalmente reinventada, abrindo-se para concepções mais largas de sociabilidade e, ao mesmo tempo, fortalecendo as concepções ordenadoras da vida social provenientes do familismo antigo.

Seus participantes aprendem a reordenar, na nova prática, a estrutura produtiva da agricultura familiar. Com base na mesma intensa utilização do tempo de todos os membros da família, que era a prática de seus pais e avós, diversificam as atividades econômicas, combinam artesanato, indústria e agricultura, incorporando técnicas e equipamentos modernos e práticas modernas de comercialização. A experiência dos acampamentos já lhes ensinara formas de cooperação extrafamiliares e de vizinhança, que dizem mais respeito a uma nova e mais moderna divisão do trabalho do que estritamente a formas antiquadas de auxílio mútuo. De modo que justamente a economia e a tecnologia modernas acabam viabilizando em seu proveito formas tradicionais de organização da sociabilidade e da vida, como, no fundo, está acontecendo em países asiáticos.

Um fenômeno parecido se passou com os índios Parkatêjê, no sul do Pará. Quase extintos, quase em servidão trabalhando como coletores de castanha-do-pará para a Funai, Fundação Nacional do Índio, revigoraram suas tradições e instituições quando, através da antropóloga Yara Ferraz, que fazia pesquisa de campo com eles, aprenderam como funciona a economia que os explorava, descobriram como ganhar eles próprios o dinheiro que outros ganhavam às custas deles e sair da miséria e da situação terminal em que se encontravam. Descobriram a trama da pobreza e da marginalização tecida pela mesma coleta de castanha que já faziam. Desde então, passaram a administrar diretamente seus recursos e a comercializar diretamente a castanha coletada. Muito rapidamente a tribo tinha uma significativa conta bancária.

Para mobilizar a tribo e evitar, ao mesmo tempo, que o dinheiro ganho e seu efeito sempre dispersivo e desagregador em populações assim, destruísse as possibilidades novas que o dinheiro criava, o chefe indígena invocou as tradições tribais no uso dos bens que são de todos, como a caça. Fortaleceu sua própria autoridade de chefe, repartindo os bens primeiro para os demais, ficando por último na partilha da caça ou do que quer que fosse. Televisores, calculadora, computador, casas de alvenaria distribuídas de acordo com as tradições da tribo, em volta de um terreiro, em forma circular, e uma nova casa dos homens no centro da aldeia, também construída de alvenaria e dotada de televisão, para as cerimônias de final de dia – os materiais e os instrumentos modernos foram completamente absorvidos pelas velhas instituições, concepções e formas da tradição tribal.

Essa é a forma que a modernidade assume para essas populações de integração menos provável no mundo moderno. Está na verdade tornando viável o capitalismo para populações que até mesmo o pensamento de esquerda sempre condenou ao desaparecimento e à inviabilidade histórica. No fundo, elas estão ampliando significativamente o território da modernidade e do capitalismo que a sustenta e justifica.

No caso dos sem-terra, sua ideologia socialista, no meu modo de ver, parece cumprir a mesma função criadora de uma modernidade civilizada que os privilégios das corporações de ofício e os costumes da economia moral tiveram na constituição dos direitos sociais, como observou Thompson no caso inglês.

Essa colagem indica um outro problema da modernidade latino-americana e não só brasileira: a inviabilidade da vida cotidiana, o cotidiano fragmentado, a cotidianidade difícil – o trânsito contínuo entre mundos estanques:[46] da vida cotidiana, do sonho, do jogo, da fantasia, do carnaval, da religião (e das religiões, no confuso sincretismo que mistura crenças e religiões no dia a dia de cada um). A mescla está aí. Como disse antes, a literatura latino-americana apreendeu melhor do que as ciências sociais essa continuidade indiscernível entre a realidade e a fantasia, entre as relações sociais reais e o imaginário. Entre nós, os cientistas sociais interessaram-se pouco pela riqueza antropológica da alienação social que decorre das peculiaridades históricas do desenvolvimento capitalista na América Latina.

O cotidiano não se desgarra como mundo em si; como referência e mediação dos outros mundos, como seria próprio da modernidade. Não é ele que prevalece. A (in)modernidade latino-americana se apresenta na precedência dos outros mundos em relação ao mundo racional, secularizado e repetitivo do cotidiano, do estilo cognitivo que lhe é próprio, para usar essas fundamentais concepções de Schutz. A relação dos mundos sociais está, aqui, não raro invertida em relação ao modelo clássico. Aqui os tempos históricos estão mesclados e confundidos no dia a dia, como estão confundidos e invertidos os estilos cognitivos dos diferentes mundos que demarcam a nossa vida social. É como se já fôssemos pós-modernos antes mesmo de chegarmos à modernidade, há muito misturando numa colagem desarticulada tempos históricos e realidades sociais. Ou, como diz Canclini, é como se fôssemos pós-modernos há séculos.[47]

## A modernidade anômala do colonizado

Estamos em face de uma cultura arraigada, marcada por uma lógica assimilacionista e integradora, capaz de juntar o diverso e, sobretudo, de conciliar o antagônico como forma de resistir à inovação e à transformação. São claras as raízes coloniais dessa lógica cultural inventada pelos missionários para civilizar os índios e por eles invertida e assimilada invertidamente para se preservarem culturalmente e resistirem ao irresistível, que era a obstinação missionária. É a lógica do duplo, do ser e do parecer ser; do praticado e do dado a ver – a lógica da alma dividida entre duas orientações opostas, a do colonizado e a do colonizador.

Isso é mais do que a hibridação cultural de que trata Canclini.[48] Seria híbrida a cultura se fosse infecunda e meramente fizesse a justaposição de elementos culturais estranhos entre si, fragmentários. A situação mais frequente é a da multiplicidade cultural híbrida vivenciada pelos mesmos sujeitos, numa tendência à ambiguidade constante. Ao contrário, essa cultura híbrida produz uma realidade histórica peculiar – a da lentidão, o decidir lento[49] – e uma estratégia social e uma personalidade básica igualmente peculiar – a da dissimulação.[50] Essa hibridação não é passiva nem mecânica. É nela que se apoia a criatividade e a inventividade possível desta sociedade. O duplo se constitui como verdadeira orientação cultural, dotado de uma legitimidade própria que torna o autêntico inautêntico, por meio de técnicas de ocultamento. Os usos irracionais e tradicionais do moderno trazem para o cotidiano essa duplicidade, esse duplo e contraditório modo de ser e de pensar.

Além do ocultamento, a difusão da modernidade anômala estimulou o desenvolvimento de uma cultura imitativa, em que o ser visto é o seu componente mais expressivo. A teatralidade dos processos de interação social,[51] própria do modo de vida da modernidade, tem na imitação o seu correspondente entre nós. Nesse caso, não é propriamente a modernidade e ao mesmo tempo a é. Porque aqui não se imita como parte do jogo racional para produzir uma impressão calculada, cujos dividendos são o incremento da autoestima e a valorização da própria identidade. Não se imita como momento de um jogo racional para antecipar a impressão que o outro terá e para se ter algum controle sobre o processo interativo. Aqui, esse teatro se esgota na própria imitação, como se a simulação já fosse o conteúdo do imitado.

A dissimulação, como contrapartida da repressão e do controle social, ineficientes e complacentes, indica que a sociedade brasileira não impugna nem inviabiliza completamente os comportamentos tradicionais, irracionais e discrepantes. Apenas indica que o cenário principal da visibilidade social tem que ser ocupado pela teatralização do moderno e do racional, mas sobretudo do dominante. A

Constituição de 1824, por pressão da Inglaterra, de que nos tornávamos política e economicamente dependentes, estabelecia que as igrejas protestantes poderiam existir no país. Mas, impunha a restrição de que não teriam *forma exterior de templo*,[52] porque o católico superficial e indoutrinado do catolicismo colonial poderia confundir templos católicos com templos protestantes. A verdade religiosa estava na fachada do templo e não na fé das pessoas, anomalia produzida pela certeza arrogante do monopólio religioso sobre a alma das gentes. A exterioridade é que nos é importante, aquilo que se vê. É o importante, mas não o decisivo. Apesar de ser um indício de tolerância religiosa e de modernização, há aí uma mentalidade barroca, uma supervalorização das formas e exterioridades. O nosso barroco foi assim. A pobreza, e não a exuberância, dos adornos ostentando uma riqueza supérflua, colonial, pois o principal da riqueza gerada pelo ouro era transferido para a metrópole. O nosso barroco é residual e, de certo modo, até sóbrio. Nossa cultura continua sendo barroca.

Essa exacerbação da forma externa provavelmente tem a ver com a necessidade de assegurar conteúdo a uma realidade histórica e artística vazia. A riqueza colonial não chegava a ser suficiente para revolucionar as relações sociais e atingir os conteúdos da sociedade; não permitia, por exemplo, inventar estilos próprios ou recriar substantivamente estilos e concepções. O máximo que permitia era a adaptação do ornamental. A criatividade se exercia no supérfluo. Ainda hoje é assim. O exagerado cuidado na aparência pessoal, quando na rua, carnavalescamente combinado com o vestuário cotidiano da população, mesmo nas grandes cidades, é uma incrível colagem de estilos e referências. O sucesso das falsificações no Brasil é bem indicativo dessa mentalidade. Adotar sinais de prosperidade, de limpeza e de beleza e jogar lixo e resíduos na rua constitui outra indicação de um absoluto desprezo pelo contexto da ação e da vida. A vida se esgota no próprio agente: ele gosta de perfumes e de roupas novas e bonitas, mas emporcalha o espaço ao seu redor com maços de cigarro vazios, tocos de cigarro, fósforos queimados, copos de plástico, garrafas de plástico, latas vazias de refrigerantes ou cerveja. A nem sempre clara ordenação da apresentação pessoal não se estende ao espaço circundante e à corresponsabilidade com aquilo que é propriamente público. Tudo se mostra, portanto, banalizado.

Por isso o privado é entre nós tão precário. Ele não funda uma consciência social moderna e impessoal. A *pessoa* continua no centro das relações sociais, não o *indivíduo* e a trama de relações contratuais de que ele é parte. Ora, o mundo da modernidade é o mundo do indivíduo. Mais do que a pessoa, o querer ser pessoa domina as situações e esse querer ser pessoa está nos adornos, nos signos. É uma pessoa incompleta, imitadora. Mesmo o cidadão, num grande número de casos, é mera imitação, pois o comportamento eleitoral e político é frequentemente um comportamento carneiril subjugado por deveres de lealdade próprios da dominação pessoal, do clientelismo e do populismo. É um cidadão que vota por obrigação e não por dever; e que não se considera investido de direitos em relação à conduta dos votados, às leis e às instituições. Por isso mesmo, ao mesmo tempo em que não é um cidadão verdadeiro, não é também o agente humano de um pensamento conservador, agente da transformação da tradição num conjunto de ideias, princípios e condutas que fundamentem uma opção de vida e uma crítica social consistente.

Não é o moderno que incorpora o tradicional e popular simplesmente. Antes, é a tradição que agrega fragmentos do moderno sem agregar um modo moderno de ser consciência do todo e consciência, por isso, moderna, como se vê nos trabalhos de Thompson já mencionados.

Na falta de autenticidade, a modernidade latino-americana empresta da consciência conservadora implícita no nosso tradicionalismo os referenciais de sua consciência de si mesma, de sua própria crítica. Vive em simbiose com aquilo que a nega. Nisso está o fato de que a consciência moderna é incompleta; as relações sociais, os gestos, a prática tem essa alienação adicional, bem diversa da alienação representada pela entrega completa à racionalidade moderna nos países desenvolvidos. Daí que as formas (sociais) tenham a função exacerbada que tem nesta sociedade. A anomalia está no fato de que se trata de uma modernidade sem crítica – sem consciência da sua *transitoriedade,* de que tudo é moda e passageiro. É modernidade, mas sua constituição e difusão se enreda em referenciais do tradicionalismo sem se tornar conservadorismo. Porque também desse lado estamos em face do inconcluso, do insuficiente, do postiço.

# NOTAS

[*] Publicado sob o título de "The hesitations of the modern and the contradictions of modernity in Brazil", *in* Vivian Schelling (ed.), ***Through the Keleidoscope*** *(The Experience of Modernity in Latin America)*, London, Verso, 2000, pp. 248-74.

[1] Com precisão, Schelling sugere que "para entender o processo de formação de uma modernidade especificamente latino-americana, é necessário examinar como aspectos da modernidade metropolitana são apropriados neste contexto de desenvolvimento desigual e rearticulados com a dinâmica local da produção cultural e das estruturas econômicas e políticas, bem como das relações de classe, gênero e etnia." Cf. Vivian Schelling, ***Latin America and "other" models of modernity***, mímeo, s.d., p. 6.

[2] Cf. Henri Lefebvre, ***Introduction à la Modernité***, Paris, Les Éditions de Minuit, 1962, esp. p. 10.

[3] Cf. Benjamin Franklin, ***Autobiografia***, trad. de Aydano Arruda, São Paulo, Ibrasa, 1963, esp. pp. 77-86, em que Franklin estabelece um conjunto de virtudes de referência para pôr *ordem* em sua vida diária. Esse texto foi utilizado por Max Weber como um documento de quase clássica pureza sobre o espírito do capitalismo. Cf. Max Weber, ***A Ética Protestante e o Espírito do Capitalismo***, trad. M. Irene de Q. F. Szmrecsányi e Tamás J. M. K. Szmrecsányii, Livraria Pioneira Editora, São Paulo, 1967, p. 29 e ss.

[4] É preciso distinguir entre *constatar e definir* filosoficamente a modernidade e *explicá-la* sociologicamente. Nesse sentido, embora a modernidade surja na consciência social no século XVIII (cf. Jürgen Habermas, "Taking aim at the heart of the present: On Foucault's lecture on Kant's *What Is Enlightment?*", ***The New Conservatism***, Polity Press, 1994, p. 174; Jürgen Habermas, ***Il Discorso Filosofico della Modernità***, Editori Laterza, Bari, 1991, p. VII), é no século XIX que ela encontra sua explicação sociológica inicial. Marx o fez em vários dos seus trabalhos. Cf. Karl Marx, ***Manuscrits de 1844***, trad. Emile Bottigelli, [Le travail aliéné], Paris, Editions Sociales, 1962, pp. 55-70; Karl Marx, ***El Capital – Crítica de la Economía Política***, Tomo I, v. 1, trad. Pedro Scaron, México, Siglo Veinteuno, 1982, pp. 87-102.

[5] Cf. Max Weber, ***Ciência e Política – Duas Vocações***, trad. Leonidas Hegenberg e Octany Silveira da Mota, São Paulo, Cultrix, 1970, p. 31: "O homem civilizado (...) coloca-se em meio ao caminhar de uma civilização que se enriquece continuamente de pensamentos, de experiências e de problemas, pode sentir-se 'cansado' da vida, mas não 'pleno' dela. Com efeito, ele não pode jamais apossar-se senão de uma parte ínfima do que a vida do espírito incessantemente produz, ele não pode captar senão o provisório e nunca o definitivo."

[6] Incorporo aqui as concepções de Heller sobre as *necessidades radicais*, uma noção desenvolvida originalmente por Henri Lefebvre. Cf. Agnes Heller, ***La Théorie des Besoins chez Marx***, Paris, Union Générale d'Éditions, 1978, esp. pp. 107-135.

[7] Cf. Henri Lefebvre, ob. cit., p. 174.

[8] Essa concepção do tema está contida em diferentes obras de Henri Lefebvre. Além da já citada ***Introduction à la Modernitè***, cf., também, Henri Lefebvre, ***Critique de la Vie Quotidienne***, I, L'Arche Éditeur, Paris, 1958; II, L'Arche Éditeur, Paris, 1961; III, L'Arche Éditeur, Paris, 1981; ***A Vida Cotidiana no Mundo Moderno***, tradução de Alcides João de Barros, Editora Ática, São Paulo, 1991; ***La Présence et l'Absence***, Casterman, Paris, 1980; e, ainda, Norbert Guterman e Henri Lefebvre, ***La Conscience Mystifiée***, [2ª ed.], Le Sycomore, Paris, 1979.

[9] Cf. Henri Lefebvre, ***Introduction à la Modernité***, cit., pp. 9-10.

[10] Neste texto, dialogo constantemente com ideias a esse respeito desenvolvidas por Néstor García Canclini, ***Culturas Híbridas*** *(Estrategias para entrar y salir de la modernidad)*, Grijalbo, México, 1990. É uma pena que Canclini não tenha incorporado às suas as concepções teóricas de Henri Lefebvre sobre a totalidade dialética e a multiplicidade dos tempos históricos no contemporâneo, pois ampliaria e enriqueceria a orientação teórica que adota. No entanto, é necessário que se diga que ele assinala expressamente a importância epistemológica da totalidade no estudo da modernidade latino-americana (p. 25). Sobre esse aspecto da obra de Lefebvre, cf. José de Souza Martins, "As temporalidades da História na dialética de Lefebvre", *in* José de Souza Martins (org.), ***Henri Lefebvre e o Retorno à Dialética***, Editora Hucitec, São Paulo, 1996, pp. 13-23 [texto reproduzido como capítulo 5, neste livro].

[11] Cf. Néstor García Canclini, ob. cit., esp. pp. 191-235; Vivian Schelling, cit., p. 13.

[12] Sobre a função socialmente criativa da tradição, cf. E. P. Thompson, "The moral economy of the English crowd in the Eighteenth century", *in* ***Past and Present***, n. 50, Past and Present Society, February 1950, pp. 76-136. "As tradições dos ofícios estavam normalmente associadas a alguns vestígios das noções de preço 'adequado' e 'salário 'justo'. Os critérios morais e sociais – a subsistência, a autoestima, o orgulho (em certos níveis de qualificação), os prêmios costumeiros para os diferentes graus de habilidade – destacaram-se tanto quanto os argumentos estritamente 'econômicos' nas primeiras disputas sindicais." Cf. E. P. Thompson, ***The Making of the English Working Class***, Harmondsworth, Penguin Books, 1968, p. 261. Esse tema foi também desenvolvido por T. H. Marshall, ***Cidadania, Classe Social e Status***, trad. Meton Porto Gadelha, Zahar Editores, Rio de Janeiro, 1967, esp. pp. 57-114.

[13] Cf. Erich Fromm, "Consciencia y sociedad industrial", *in* Erich Fromm *et alii*, ***La Sociedad Industrial Contemporánea***, trad. Margarita Suzan Prieto e Julieta Campos, Sigloveinteuno Editores S.A., México, 1967, pp. 1-15; Roger Bastide, "Sociologia do sonho", *in* Roger Caillois e G. E. von Grunebaun (orgs.), ***O Sonho e as Sociedades Humanas***, Livraria Francisco Alves Editora S.A., Rio de Janeiro, 1978, pp. 137-148; José de Souza Martins (org.), ***(Des)figurações – A Vida Cotidiana no Imaginário Onírico da Metrópole***, Editora Hucitec, São Paulo, 1996, *passim*.

[14] A propósito da realidade social do campo e do sertão, Dória diz que "é justamente esta história que se procura esquecer ou obscurecer para propiciar uma identificação mais fácil com a 'modernidade' que, no caso, coincide com os próprios mecanismos ideológicos da dependência." Cf. Carlos Alberto Dória, ***Ensaios Enveredados***, Edições Siciliano, São Paulo, 1991, p. 14. Entendo que a questão é um pouco mais complicada. Especificamente, em relação à sociedade sertaneja como referência e mundo, ela tem sido, ainda que fantasiosa e deformadamente, imaginariamente, o contraponto crítico e integrante da modernidade, nem divorciado dela nem estranho a ela, embora seja substantivamente "outra coisa".

[15] Na perspectiva de um pessimismo sociológico amargo, esse tema weberiano reaparece em Michel Maffesoli, ***La Conquista del Presente***, Editrice Ianua, Roma, 1983. A propósito, cabe esta observação de Lyon: "Uma significativa série de ideias ocidentais começa com a 'providência', que é transposta para o 'progresso' e daí muda para o 'nihilismo'." Cf. David Lyon, ***Postmodernity***, Open University Press, Buckingham, 1995, p. 5.

[16] Antonio Candido ressalta e analisa, em Guimarães Rosa, essa topografia de nossa identidade de avessos. Cf. Antonio Candido, ***Tese e Antítese***, Companhia Editora Nacional, São Paulo, 1964, pp. 119-140.

[17] Cf. Walnice Nogueira Galvão, ***As Formas do Falso*** *(Um estudo sobre a ambiguidade no* Grande Sertão: Veredas*)*, Editora Perspectiva, São Paulo, 1972. Nesse livro notável, a autora estuda o que, apropriadamente, define como *ambiguidade instauradora*.

[18] Trato desse tema num estudo de caso sobre o aparecimento do diabo entre as operárias de uma das grandes e mais modernas fábricas do subúrbio de São Paulo, imediatamente após a duplicação das instalações da empresa e de sua ampla modernização tecnológica. Cf. José de Souza Martins, "A aparição do demônio na fábrica, no meio da produção", *in* ***Tempo Social*** *(Revista de Sociologia da USP)*, V. 5, n. 1-2, Novembro de 1994, pp. 1-29 [Esse artigo foi incluído em meu livro ***A Aparição do Demônio na Fábrica***, Editora 34, São Paulo (no prelo)]. Lefebvre notou e examinou a relação entre o diabo e a modernidade: "O diabo cumpre as promessas do conhecimento". É nele, pois, que se manifesta a íntima relação entre a lucidez (de Lúcifer) e as relações sociais de que a consciência lúcida, isto é, crítica, é parte. Cf. Henri Lefebvre, ***Introduction à la Modernité***, op. cit., p. 68.

[19] A partir de outras referências, Schelling também assinala a persistência do mágico e do mítico como expressões de uma secularização incompleta da memória popular, uma indicação do híbrido e do inconcluso. Cf. Vivian Schelling, cit., p. 14.

[20] Para as fotos de Rulfo, cf. Juan José Bremer *et alii*, ***Juan Rulfo*** *(Homenaje Nacional)*, México, Instituto Nacional de Bellas Artes/SEP, Septiembre de 1980.

[21] Uma antologia de fotos de Salgado encontra-se em Jean Lacoutoure, ***Fotografie di Sebastião Salgado***, Torino, Edizioni Gruppo Abele, 1996. Ver, sobretudo, Sebastião Salgado, ***Êxodos***, São Paulo, Companhia das Letras, 2000.

[22] Cf. Claude Lévi-Strauss, ***Saudades do Brasil***, trad. Paulo Neves, Companhia das Letras, São Paulo, 1994.

[23] Cf. Claude Lévi-Strauss, ***Saudades de São Paulo***, trad. Paulo Neves, Instituto Moreira Sales/ Companhia das Letras, 1996.

[24] Foi o arquiteto Marco Antônio Perrone Santos quem descobriu e estudou, com base nas análises de Foucault, a estrutura panóptica da Vila de Paranapiacaba, município de Santo André (SP), concebida

segundo o modelo de prisão desenvolvido por Benthan no século XVIII. Essa estrutura dava e dá uma visualidade intensa e oculta às moradias, à estação ferroviária e ao pátio de manobras. Cf. Marco Antônio Perrone Santos, "Análise das relações panópticas das distribuições espaciais", *in* João Ferreira, Silvia Helena Passarelli e Marco Antônio Perrone Santos, ***Paranapiacaba – Estudos e Memória***, Santo André, Prefeitura Municipal de Santo André (SP),1991, pp. 1-43. Sobre esse tema, cf. Michel Foucault, ***Surveiller et Punir*** *(Naissance de la prison)*, Éditions Gallimard, Paris, 1975. No caso de Paranapiacaba, em auxílio do caráter panóptico da vila, a neblina constante da borda da serra, que fecha subitamente a visibilidade e subitamente desaparece, longe de anular a eficácia da estrutura vigilante, acrescenta-lhe o detalhe da surpresa e do inesperado.

[25] Florestan Fernandes, um dos mais conhecidos sociólogos brasileiros, teve uma formação positivista e a influência do positivismo pode ser rastreada em quase todas as suas obras. Ele está, no entanto, entre os intelectuais que foram considerados subversivos pela ditadura militar (1964/1985), foram por ela vigiados, reprimidos, presos e finalmente expulsos da universidade. Agudo observador da realidade brasileira, antes dos principais episódios de repressão que o vitimaram, escreveu: "Dessa perspectiva, não é fundamental o engajamento, a condição de 'intelectual responsável' e 'atuante'. Se o investigador consegue ser objetivo, nos termos em que o exige a observação, a descrição e a explicação científicas, as suas análises e interpretações podem converter-se em algo muito mais *radical* ou *revolucionário* que as implicações das ideologias divergentes." Cf. Florestan Fernandes, ***Sociedade de Classes e Subdesenvolvimento,*** Zahar Editores, Rio de Janeiro, 1968, p. 14.

[26] Cf. Paulo Freire, ***Extensão ou Comunicação?***, trad. Rosisca Darcy de Oliveira, Paz e Terra, Rio de Janeiro, 1971. Sobre o drama do próprio agrônomo-extensionista, apanhado na rede de desencontros em que se situa sua ação, há a premiada peça teatral de Felipe Santander, ***El Extensionista***, Ediciones Casa de las Américas, La Habana, 1980.

[27] "Outro traço, que reforça a semelhança geral do Romantismo com o Modernismo, é a atitude de negação, que lá foi satanismo e aqui troça, piada." Cf. Antonio Candido, ***Literatura e Sociedade***, Companhia Editora Nacional, São Paulo, 1965, p. 196.

[28] Num inspirado ensaio de seu livro sobre a modernidade, Lefebvre sublinha a importância histórica da ironia e diz: "Os métodos teóricos e práticos que investigam as diferenças – todas as diferenças, as dos indivíduos, dos grupos, dos povos, das culturas – para acentuá-las no estilo do vivido e no pensamento, tem necessidade da ironia e do negativo." Cf. Henri Lefebvre, "Sobre a ironia, a maiêutica e a História", ***Introduction à la Modernité***, cit., p. 24.

[29] Dentre outras, a "Moda do bonde camarão", de Mariano da Silva e Cornélio Pires, coloca no interior do mais moderno meio de transporte urbano de então, na cidade de São Paulo, um caipira cujos conceitos, ritmos e referências espaciais são camponeses e rurais. A narrativa dos desencontros entre o corpo e as interpretações do caipira, de um lado, e o movimento do bonde, de outro, ridiculariza o moderno. Mas, sobretudo, denuncia a transformação do corpo do passageiro numa extensão inadaptada da própria máquina de transporte. O riso é aí expressão da crítica da modernidade e parte dela. Essa obra musical precursora tem muito dos ingredientes de "Tempos modernos", de Chaplin. Sobre esse aspecto da música sertaneja, cf. José de Souza Martins, "Música sertaneja: a dissimulação da linguagem dos humilhados", *in* ***Capitalismo e Tradicionalismo***, Livraria Pioneira Editora, São Paulo, 1975, pp. 103-161. Num ensaio de 1990, numa outra perspectiva, Dória também se refere ao tema da ironia. Cf. Carlos Alberto Dória, op. cit., p. 27.

[30] Sobre a relação entre *Macunaíma* e a modernidade, cf. Vivian Schelling, cit., p. 17 e ss.

[31] Lapassade e Luz indicaram essa duplicidade nos terreiros de macumba do Rio de Janeiro. Até certo momento da noite, os ritos são de umbanda. A partir de altas horas da noite, Exu toma conta do terreiro e revela com sua presença o ocultamento e o segredo embutidos no primeiro momento de ritos brandos e toleráveis pela polícia. Cf. Georges Lapassade e Marco Aurélio Luz, ***O Segredo da Macumba***, Paz e Terra, Rio de Janeiro, 1972.

[32] O Brasil é um país extenso e uma das últimas regiões do mundo em processo de ocupação, marcada por uma fronteira viva e conflitiva. É um país marcado por uma longa história de lenta ocupação territorial que chega até nossos dias e que foi e tem sido, ao mesmo tempo, a história da subjugação dos povos indígenas, seja mediante sua submissão à escravidão, seja mediante seu extermínio, seja mediante sua adaptação à sociedade dominante. A partir da Revolução de 1930, esse processo ganha uma orientação nova. A ocupação do território pelo Estado nacional passa a se dar como parte de um programa especificamente orientado nesse sentido, tendo em vista o exercício da soberania nacional e as necessidades do desenvolvimento econômico do país. É possível, aí, distinguir três grandes momentos históricos: no primeiro, durante a ditadura

de Getúlio Vargas, nos anos trinta e quarenta, a chamada Marcha para o Oeste, com o contacto e aculturação dos grupos indígenas dispersos e arredios e o estabelecimento de campos de pouso e estações de rádio para monitoramento de voos no e sobre o território brasileiro; o segundo, nos anos cinquenta, no governo de Juscelino Kubistchek, a abertura da rodovia Belém-Brasília e a fundação de Brasília, a consequente ocupação das terras novas e a fundação de cidades ao longo da rodovia em Goiás e no Pará; o terceiro, com a ditadura militar instaurada em 1964, um amplo programa de abertura de estradas e amplos benefícios fiscais a empresas interessadas na ocupação das terras novas em toda a Amazônia, aí incluído o Mato Grosso, o norte de Goiás, atual estado do Tocantins, e o estado do Maranhão. Refiro-me sobretudo a este último período.

[33] Cf. José de Souza Martins, ***Fronteira – A degradação do Outro nos confins do humano***, Editora Hucitec, São Paulo, 1997, esp. pp. 79-112.

[34] Cf. Organización Internacional del Trabalho, ***Una alianza global contra el trabajo forzoso***, Oficina Internacional del Trabajo, Ginebra, 2005, p. 11.

[35] Ibidem, p. 9.

[36] Cf. Maria Sylvia de Carvalho Franco, ***Homens Livres na Ordem Escravocrata***, Instituto de Estudos Brasileiros da Universidade de São Paulo, São Paulo, 1969, *passim*.

[37] Cf. José de Souza Martins, ***O Cativeiro da Terra***, 8ª edição, Editora Hucitec, São Paulo, 2004, pp. 7-93.

[38] Cf., especialmente, Oscar Lewis, ***Five Families*** *(Mexican Case Studies in the Culture of Poverty)*, The New American Library, New York, 1965; Oscar Lewis, ***The Children of Sánchez*** *(Autobiography of a Mexican Family)*, Penguin Books, Harmondsworth, 1972.

[39] A dança de São Gonçalo é uma antiga dança ritual e religiosa, católica e de origem portuguesa. É praticada para pagamento de promessa. No Brasil, as promessas são das moças que envelheceram e ainda não conseguiram um noivo, pois São Gonçalo é casamenteiro das velhas. São também dos homens que querem se tornar violeiros e têm dificuldade para aprender a tocar o instrumento, pois São Gonçalo era um violeiro. São, ainda, das pessoas que sentem dores nas pernas e que esperam curar-se dançando a noite inteira para o santo. Até o século XIX, a dança de São Gonçalo era praticada no interior das próprias igrejas. Cf. Maria Isaura Pereira de Queiroz, ***Sociologia e Folclore – A Dança de São Gonçalo num Povoado Bahiano***, Livraria Progresso Editora, Salvador, 1958. Em Portugal, em Amarante sua terra, São Gonçalo é também um santo da fertilidade, mediador de promessas de mulheres que querem ter filhos e não os tem. Além das carícias das autoras das promessas no lugar hipotético do falo, na estátua jacente do santo, em sua tumba, na igreja onde está sepultado, bolos em formato de pênis são consumidos por ocasião de sua festa.

[40] No caso brasileiro, a língua inglesa vem se constituindo na língua simbólica da modernidade inautêntica. Em 1954, com a participação de várias igrejas evangélicas americanas, sobretudo pentecostais, foi realizado em São Paulo um Congresso Mundial de Evangelismo, promovido por igrejas protestantes e evangélicas brasileiras. Centenas de missionários, pregadores e músicos fizeram grandes manifestações de proselitismo e de cura, incluindo uma concentração no Ginásio do Pacaembu para encerramento do encontro. A figura do pregador americano, falando em inglês, acolitado por um intérprete brasileiro, tornou-se familiar para multidões de pessoas simples, trabalhadores, dos bairros e da periferia da cidade. Meses depois, já proliferavam as seitas e pequenos templos dirigidos por pregadores leigos, recrutados na massa da população. Era o tempo da onda de migrantes mineiros e nordestinos que chegavam aos bairros operários e ao subúrbio de São Paulo em busca das oportunidades de trabalho no momento em que começava a expansão industrial dos anos cinquenta. Lembro de um pastor nordestino que pregava a seus fiéis com forte sotaque inglês, imitando os pregadores americanos da campanha, que falavam através dos tradutores. Cheguei a ver situações, em grupos pentecostais, em que as pessoas que tinham o dom de falar línguas estranhas eram acompanhadas por um intérprete que fazia a tradução para o português. Uma clara fetichização da fala estrangeira e das mediações – uma concepção apropriadamente teatral da modernidade.

[41] Em 1979, havia na favela 463 barracos, 24 dos quais habitados por famílias de funcionários diretos da USP e 55 por empregados indiretos. Cerca de dois terços dos moradores da favela declararam que ali viviam porque não tinham condições de pagar aluguel de casa. Cf. Eva Alterman Blay e Heloisa H. de Souza Martins, "A favelização dos funcionários da USP", *in* ***Ciência e Cultura***, Volume 32 (4), Sociedade Brasileira para o Progresso da Ciência, São Paulo, abril de 1980, pp. 418-420. A favela de São Remo, como outras favelas em São Paulo e no país, não é um reduto de miséria. Tampouco é apenas um reduto de trabalhadores desprovidos de meios para pagar pela habitação. Como em outras favelas, há ali um florescente comércio. Além de casas comerciais,

a favela tem até hotel. No Rio de Janeiro, durante os Jogos Panamericanos de 2007, era possível alugar cômodos em "guest houses" de favelas da cidade, próximas ao local do evento, com direito a café da manhã e cômodos que nada ficavam a dever aos apartamentos de hotéis três estrelas. Isso não anula o fato de que algumas favelas são lugares de habitações e condições de vida aquém do que a consciência e a decência humanas podem tolerar.

[42] Cf. Norbert Guterman e Henri Lefebvre, ***La Conscience Mystifiée***, cit., p. 12 e ss.

[43] Sobre a distinção de imaginário e de imaginação, cf. Henri Lefebvre, ***A Vida Cotidiana no Mundo Moderno***, tradução de Alcides João de Barros, Editora Ática, São Paulo, 1991, pp. 24 e 95.

[44] O MST – Movimento dos Trabalhadores Rurais Sem Terra – surgiu formalmente, em 1984, como uma organização de pequenos agricultores, trabalhadores rurais, expulsos da terra ou ameaçados de perdê-la em consequência da expansão da pecuária e da grande agricultura empresarial, como a da soja, e mais especificamente em consequência das expropriações decorrentes da construção da barragem e do lago para a grande hidrelétrica de Itaipu, na fronteira do Brasil com o Paraguai. Sua fundação se deve aos esforços de pastores da Igreja Luterana e de agentes de pastoral católicos da Comissão Pastoral da Terra, órgão da Conferência Nacional dos Bispos no Brasil. Em abril de 1998, o MST tinha em seus acampamentos mais de sessenta mil trabalhadores sem terra. Segundo o mais importante ideólogo do movimento, em 2003 eram 200 mil famílias acampadas. Cf. Guilherme Evelyn e Leandro Loyola, "A reforma agrária já está esgotada", *in* ***Época***, n. 476, 2007 (Entrevista com João Pedro Stédile).

[45] Durante o primeiro semestre de 1999, os jornais começaram a divulgar notícias de infiltração no MST de grupos latino-americanos envolvidos na luta armada, em particular o Sendero Luminoso. Ao mesmo tempo, começaram a aparecer notícias de secessão na organização e de formação de grupos dissidentes que tentavam radicalizar a ação dos trabalhadores rurais. No início de julho, o MST anunciou que membros da organização disputariam cargos eletivos através de diferentes partidos políticos. No dia 8 de julho, após vários dias de acampamento na Praça dos Três Poderes, uma comissão de dirigentes foi recebida pelo presidente da República. No encontro, que foi basicamente um encontro de negociação dos termos da política agrária e agrícola, parece ter ficado evidente que o MST se reconcilia ideologicamente com suas bases, constituídas de famílias de pequenos agricultores que representam basicamente uma classe média renovada e modernizada no campo. O que provavelmente implicará num distanciamento em relação ao discurso proletário e socialista no estilo do século XIX e início deste século. Com essa reorientação, o MST muda radicalmente a sua linha política e ocupa o único lugar que lhe está disponível no cenário da história brasileira contemporânea e que não é um lugar pequeno: o de ser um dos principais agentes de modernização do campo e, sobretudo, de mobilização da sociedade civil contra as aberrações antidemocráticas e antimodernas de um Estado ainda amarrado a fortes estruturas oligárquicas.

[46] Valho-me aqui da teoria das realidades múltiplas, de Schutz. Cf. Alfred Schutz, ***On Phenomenology and Social Relations***, The University of Chicago Press, Chicago and London, 1973, esp. pp. 245-262.

[47] Cf. Néstor García Canclini, ob. cit., p. 19.

[48] Ibidem, *passim*.

[49] Cf. José de Souza Martins, ***O Poder do Atraso*** *(Ensaios de Sociologia da História Lenta)*, São Paulo, Hucitec, 1994.

[50] Cf. José de Souza Martins, ***Capitalismo e Tradicionalismo***, cit., pp. 103-161 ("Música sertaneja: a dissimulação na linguagem dos humilhados"); José de Souza Martins, ***A Militarização da Questão Agrária no Brasil***, 2ª. edição, Vozes, Petrópolis, 1985, pp. 113-127 ("O boiadeiro Galdino – do Tribunal Militar ao Manicômio Judiciário"); José de Souza Martins, ***A Chegada do Estranho***, Editora Hucitec, São Paulo, 1993.

[51] Cf. Erving Goffman, ***La Presentación de la Persona en la Vida Cotidiana***, trad. Hildegarde B. Torres Perrén e Flora Setaro, Amorrortu Editores, Buenos Aires, 1971.

[52] Cf. Constituição Política do Império do Brasil, de 25 de março de 1824, Artigo 5º, *in* Fernando H. Mendes de Almeida (org.), ***Constituições do Brasil***, Edição Saraiva, São Paulo, 1963, p. 4. É, provavelmente, desse tempo a ainda hoje muito difundida e muito significativa expressão popular empregada no Brasil quando a circunstância obriga a fazer algo involuntário ou a agir de determinado modo para cumprir a vontade de quem manda, quando é preciso dissimular: "Isso é para inglês ver".

# O SENSO COMUM E A VIDA COTIDIANA*

"Entre o sono e o sonho,
entre mim e o que em mim
é o quem eu me suponho,
corre um rio sem fim."
Fernando Pessoa, **Obra Poética**.

O interesse sociológico pela vida cotidiana tem resultado diretamente do refluxo das esperanças da humanidade num mundo novo de justiça, de liberdade e de igualdade. Parece simples, mas é assim mesmo que a progressiva constituição da vida cotidiana como objeto de conhecimento da sociologia tem sido justificada.

De certo modo, há nessas origens uma descrença na História, uma renúncia à ideia de que o homem é senhor de sua História, de que pode produzir o seu próprio destino. O interesse pela vida cotidiana se difunde como um dos componentes mais nítidos do ceticismo decorrente das desilusões que tem acompanhado a notável capacidade de autoregeneração da sociedade capitalista.

Para muitos, a vida cotidiana se tornou um refúgio para o desencanto de um futuro improvável, de uma História bloqueada pelo capital e pelo poder. Viver o presente já é uma consigna que encontra eco numa sociologia do detalhe, do aqui e hoje, do viver intensamente o minuto desprovido de sentido, que poderia ser definida como sociologia pós-moderna.[1] Ou, então, que poderia situar a sociologia como uma das poderosas expressões da modernidade.

Esse refluxo tem tido muitas implicações no conhecimento sociológico. Viabilizou uma redescoberta das sociologias fenomenológicas, sugeriu uma crítica nova ou renovada à sociologia positivista, abriu um amplo campo de investigações teóricas. De certo modo, estamos diante de um fascinante processo de reinvenção da sociedade. Mas, também de reinvenção da sociologia.

Se a sociologia do século XIX e da primeira metade do século XX descobriu o homem como criatura da sociedade, o período recente põe a sociologia ante a crise dessa concepção e crise dessa verdade relativa e transitória. Porque, no fundo, crise de uma sociedade dominada por grandes e definitivas certezas, a da ilimitada reprodução do capital e a da inesgotável força de coação do poder do Estado.

As grandes certezas terminaram. É que com elas entraram em crise as grandes estruturas da riqueza e do poder (e também os grandes esquemas teóricos). Daí decorrem os desafios deste nosso tempo. Os desafios da vida e os desafios da ciência, da renovação do pensamento sociológico.

Se a vida de todo o dia se tornou o refúgio dos céticos, tornou-se igualmente o ponto de referência das novas esperanças da sociedade. O novo herói da vida é o homem comum imerso no cotidiano. É que no pequeno mundo de todos os dias está também o tempo e o lugar da eficácia das vontades individuais, daquilo que faz a força da sociedade civil, dos movimentos sociais.

Nesse âmbito é que se propõe a questão do conhecimento de senso comum na vida cotidiana. Questão porque, na perspectiva erudita, o senso comum é desqualificado porque banal, destituído de verdade, fonte de equívocos e distorções. E com ele o mundo de que faz parte, o da vida cotidiana. Não era assim que pensava Émile Durkheim em *As Regras do Método Sociológico* e também em *Sociologia e Filosofia*?[2]

Questão porque, se no refúgio da vida cotidiana o homem descobre a eficácia política (e Histórica) de sua aparente solidão, impõe, também, o reconhecimento de que o senso comum não é apenas instrumento das repetições e dos processos que imobilizam a vida de cada um e de todos.

Isso nos remete criticamente de volta a suposições fundamentais do pensamento sociológico. Do lado do positivismo, à revisão da ideia de que só o fato desprovido de vida é social. Crítica que, aliás, a sociologia fenomenológica de Alfred Schutz já fez de modo eficaz.[3] Do lado da dialética, à revisão da ideia de que só a conversão consciente ao projeto da revolução pode revolucionar a vida.

Em tudo, o questionamento de que um senso comum desprovido de sentido condena irremediavelmente o homem comum ao silêncio e à condição de vítima das circunstâncias da História.

A hipótese de que "os homens fazem sua própria História, mas não a fazem como querem e sim sob as circunstâncias que encontram, legadas e transmitidas pelo passado"[4] retorna forte e desafiadora. Não só aos que querem mudar o mundo, mas também aos que querem compreender e explicar essa mudança. Esse desencontrado agir histórico pede e propõe uma reflexão propriamente sociológica.[5] E essa reflexão incide exatamente sobre as características, as peculiaridades e a eficácia desse conhecimento próprio da realidade de todo dia, até há pouco recusado ou desqualificado justamente em nome de seu suposto desencontro com a História. O que é mesmo fazer História sem saber que a estamos fazendo? A proposta que há nessa pergunta implica em passar da Filosofia à Sociologia e, mais concretamente, a uma *sociologia da vida cotidiana.*

A possibilidade de uma sociologia da vida cotidiana está nesse âmbito intermediário, na investigação e superação do que o senso comum tem sido para a interpretação acadêmica: ou apenas o conhecimento com que o homem comum define a vida cotidiana, dando-lhe realidade, como supõem Berger e Luckmann; ou apenas o conhecimento alienado da falsa consciência que separa o trabalhador do mundo que ele cria, de que nos falam os marxistas.

Na *Questão Judaica*, Marx já havia mostrado que no desencontro do homem e daquilo que faz há também um encontro e um ato de criação histórica e social.[6] O mesmo se repete em outros textos desse autor.

É por isso que me proponho a desenvolver aqui uma breve reflexão sociológica que me permita encontrar na divergência de orientações teóricas de marxistas e fenomenologistas a possibilidade de um encontro justamente naquilo que, sob diversos nomes, é na verdade o lugar do conhecimento de senso comum na vida cotidiana e, também, na História.

Não me preocupa, neste momento, o desacordo essencial entre autores de um grupo e de outro. Nem me motiva o ecletismo ingênuo que poderia existir na tentativa de fundir sem critério, e sem crítica, as constatações de uns e de outros.

Há, sem dúvida, uma enorme riqueza de interpretações do senso comum nas sociologias fenomenológicas. Muito maior, certamente, do que a limitada concepção que do senso comum tinha Durkheim (e também Max Weber na sua tipologia da ação). É notório que nas recaídas positivistas da Sociologia, haja sempre um empobrecimento de sua definição, como se vê em Berger e Luckmann: "a sociologia do conhecimento deve, sobretudo, ocupar-se do que as pessoas 'conhecem' como 'realidade' na sua vida cotidiana..."[7] Apesar de discípulos de Schutz, eles colocam o conhecer, o senso comum, numa relação de exterioridade com o viver (a vida cotidiana). Essa coisificação do conhecimento de senso comum está em contradição com o lugar que ocupa na tradição fenomenológica.

O senso comum é comum não porque seja banal ou mero e exterior conhecimento. Mas, porque é conhecimento compartilhado entre os sujeitos da relação social. Nela o significado a precede, pois é condição de seu estabelecimento e ocorrência. Sem significado compartilhado não há interação. Além disso, não há possibilidade de que os participantes da interação se imponham significados, já que o significado é reciprocamente experimentado pelos sujeitos. A significação da ação é, de certo modo, negociada por eles. Em princípio, não há um significado prévio ou, melhor dizendo, não é necessário que haja significações preestabelecidas para que a interação se dê. Um aspecto essencial dessa formulação é o de que esse complicado jogo se desenrola, de fato, em minúsculas frações de tempo. Se nos fosse possível observar o processo interativo em "câmara lenta", poderíamos perceber o complexo movimento, o complicado vai e vem de imaginação, interpretação, reformulação, reinterpretação, e assim sucessivamente, que articula cada fragmentário momento da relação entre uma pessoa e outra. E, mesmo, entre cada pessoa e o conjunto dos anônimos que constituem a base de referência da sociabilidade moderna.

Além disso, os significados que mediatizam os relacionamentos entre as pessoas estão sujeitos a um complexo mecanismo de deciframento. Os interacionistas simbólicos mostraram como a interação só é possível por meio de procedimentos interpretativos que fazem da relação social uma construção.[8]

Não há apenas negociação e interpretação de significados, mas também critérios para seu uso. A sociologia de Erving Goffman justamente demonstra que as relações sociais estão permeadas por uma dramática atividade de simulação e teatralização para que, afinal, o significado produzido e reconhecido na interação não acarrete o descrédito para o sujeito da relação.[9] Isso quer dizer que o ator não se dirige imediata e diretamente ao outro para com ele interagir. A interação é precedida pela simulação, pelo exercício que o sujeito faz de experimentar-se como outro, numa relação de exterioridade consigo mesmo, nos segundos que constituem o preâmbulo do seu relacionamento. Uma imensa construção imaginária define a circunstância da relação social.

Por sua vez, a etnometodologia sugere que a interação não repousa nos significados que a mediatizam, simplesmente. O conhecimento cotidiano não é constituído apenas de significados. De fato, o que caracteriza o experimento etnometodológico é a utilização de catástrofes sociais, artificialmente produzidas, como recurso para criar situações de anomia e destruir os significados que sustentam a interação. Os experimentos têm demonstrado que, com grande rapidez, os envolvidos na circunstância de privação repentina de significados e, portanto, de orientação e referência, são capazes de criar significados substitutivos e restabelecer as relações sociais interrompidas ou, mais que isso, ameaçadas de ruptura. Portanto, mais do que uma coleção de significados compartilhados, o senso comum decorre da partilha, entre atores, de um mesmo *método de produção de significados*.[10] Os significados são reinventados continuamente em vez de serem continuamente copiados. As situações de anomia e desordem são resolvidas pelo próprio homem comum justamente porque ele dispõe de um meio para interpretar situações (e ações) sem sentido, podendo, em questão de segundos, remendar as fraturas da situação social.

As descobertas da etnometodologia sugerem que a desordem e a revolta só atingem a ordem superficialmente, pois apenas suprimem significados por um certo tempo, sem atingir o método (de senso comum), o critério, dos procedimentos que reconstituem o tecido rompido. Alvin W. Gouldner, mesmo em sua notória indisposição para com as descobertas de Garfinkel, observou acertadamente que a etnometodologia colocou a rebelião possível no lugar da revolução impossível.[11] No fundo, são descobertas que detalham os sutis e complicados mecanismos do que os autores marxistas denominam *reprodução social*.[12]

Se outra importância não tivesse tal tipo de descoberta, serviria ao menos para demonstrar a dinâmica do imobilismo, do repetitivo, da permanência e do que muitos também chamam de *vida cotidiana*. E do profundo compromisso que as ciências sociais podem eventualmente ter com a negação da vida e da emancipação do homem de suas carências, em particular a carência de liberdade.

Na raiz da própria interpretação fenomenológica, porém, o conhecimento de senso comum e a vida cotidiana que ele mediatiza e viabiliza aparecem circunscritos ao âmbito da atenção e da vigília. O que, no fundo, sugere uma instabilidade permanente da vida cotidiana, sujeita aos choques que estabelecem descontinuidades mais ou menos profundas na passagem de um mundo a outro do que Schutz define como realidades múltiplas.[13] Múltiplas, justamente, porque cada mundo (como a vida cotidiana, o sonho, a loucura, etc.) tem o seu próprio estilo cognitivo, definidor dos limites de suas significações. Embora a vida cotidiana seja o mundo que dá sentido aos demais, enquanto referência, aparece subvertida e alterada nesses outros mundos. O que nos mostra as descontinuidades que atravessam a vida cotidiana todos os dias.

Essas descontinuidades também são constatadas pelas interpretações dialéticas. Ainda que de outro modo, não é delas que nos fala a teoria da alienação? Não é delas que nos fala Karel Kosik quando proclama a cisão da práxis (e da consciência) em práxis utilitária cotidiana e práxis revolucionária?[14]

Elas aparecem, porém, de modo mais rico nas interpretações de Agnes Heller e de Henri Lefebvre. Mais neste do que naquela. Em ambos, nos momentos de elevação acima da cotidianidade; nos momentos superiores, criadores e privilegiados, em contraste com os instantes banais da vida cotidiana.[15] Mesmo na rotina alienadora da fábrica e da produção há momentos de iluminação e criação,[16] de invasão do cotidiano e do senso comum pela realidade e pelo conhecimento que revolucionam o cotidiano.

O vivido em Schutz é o vivido dos significados que sustentam as relações sociais. Mas, em Lefebvre, o vivido é mais que isso: é a fonte das contradições que invadem a cotidianidade de tempos em tempos, nos momentos de criação.

A reprodução social, lembrou Lefebvre mais de uma vez, é reprodução ampliada de capital, mas é também reprodução ampliada de contradições sociais: não há reprodução de relações sociais sem uma certa produção de relações – não há repetição do velho sem uma certa criação do novo, mas não há produto sem obra, não há vida sem História. Esses momentos são momentos de anúncio do homem como criador e criatura de si mesmo.

É no fragmento de tempo do processo repetitivo produzido pelo desenvolvimento capitalista, o tempo da rotina, da repetição e do cotidiano, que essas contradições fazem saltar fora o momento da criação e de anúncio da História – o tempo do possível.[17] E que, justamente por se manifestar na própria vida cotidiana, parece impossível. Esse anúncio revela ao homem comum, na vida cotidiana, que é na prática que se instalam as condições de transformação do impossível em possível.

Heller disse que só quem tem necessidades radicais pode querer e fazer a transformação da vida.[18] Essas necessidades ganham sentido na falta de sentido da vida cotidiana. Só pode desejar o impossível aquele para quem a vida cotidiana se tornou insuportável, justamente porque essa vida já não pode ser manipulada.

É aí que o reencontro com as descobertas das orientações fenomenológicas ganha novo e diferente sentido. Pois, é no instante dessas rupturas do cotidiano, nos instantes da inviabilidade da reprodução, que se instaura o momento da invenção, da ousadia, do atrevimento, da transgressão. E aí a desordem é outra, como é outra a criação. Já não se trata de remendar as fraturas do mundo da vida, para recriá-lo. Mas de dar voz ao silêncio, de dar vida à História.

## NOTAS

* Publicado originalmente em ***Tempo Social*** *(Revista de Sociologia da USP)*, v. 10, n. 1, Departamento de Sociologia – FFLCH-USP, São Paulo, maio de 1998, pp. 1-8.

1 Essa concepção ganha sua expressão sociológica mais esclarecedora na obra de Michel Maffesoli. Entre outros livros desse autor, cf. Michel Maffesoli, ***La Conquista del Presente*** *(Per una sociologia della vita quotidiana)*, trad. Anna Grazia Farmeschi e Alfonso Almafitano, Editrice Ianua, Roma, 1983; e ***O Conhecimento Comum*** *(Compêndio de Sociologia Compreensiva)*, trad. Aluizio Ramos Trinta, Editora Brasiliense, São Paulo, 1988. Embora se apresente como um crítico da obra de Henri Lefebvre, Maffesoli dela se apropria, nem sempre com citações, "desistorizando-a", fazendo uma leitura compreensiva e anti-histórica de noções e perspectivas produzidas por uma interpretação dialética do viver, da vida cotidiana e da cotidianidade.

2 Cf. Émile Durkheim, ***As Regras do Método Sociológico***, trad. de Maria Isaura Pereira de Queiroz, Cia. Editora Nacional, S. Paulo, 1960; Émile Durkheim, ***Sociologie et Philosophie***, Presses Universitaires de France, Paris, 1963.

[3] Cf. Alfred Schutz e Thomas Luckmann, ***Las Estruturas del Mundo de la Vida***, trad. Néstor Míguez, Amorrortu Editores, Buenos Aires, 1977; Alfred Schutz, ***Fenomenología del Mundo Social*** *(Introducción a la sociología compreensiva)*, trad. Eduardo J. Prieto, Editorial Paidos, Buenos Aires, 1972; Alfred Schutz, ***Estudios Sobre Teoría Social***, trad. Néstor Míguez, Amorrortu Editores, Buenos Aires, 1974. Agradeço a José Jeremias de Oliveira Filho, que em meados dos anos setenta me pôs em contacto com a obra criativa e fascinante de Schutz e sua leitura singular da sociologia compreensiva.

[4] Cf. Karl Marx, "O 18 Brumário de Luís Bonaparte", *in* K. Marx e F. Engels, ***Obras Escolhidas***, 2. ed., Editorial Vitória, Rio de Janeiro, 1961, p. 203.

[5] Esse fundamental retorno *sociológico* à dialética está exposto de maneira completa e clara em Henri Lefebvre, ***Sociologie de Marx***, Presses Universitaires de France, Paris, 1966.

[6] Cf. Karl Marx, "La cuestión judía", *in* Karl Marx e Arnold Ruge, ***Los Anales Franco Alemanes***, Ediciones Martinez Roca, Barcelona, 1973.

[7] Cf. Peter Berger e Thomas Luckmann, ***La Construcción Social de la Realidad***, Amorrortu Editores, Buenos Aires, 1968, p. 31.

[8] Cf., especialmente, Herbert Blumer, ***Symbolic Interactionism***, Prentice-Hall, Inc., Englewood Cliffs, New Jersey, 1969.

[9] Cf., especialmente, Erving Goffman, ***La Presentación de la Persona en la Vida Cotidiana***, cit.

[10] Harold Garfinkel, ***Studies in Ethnomethodology***, Prentice-Hall, Inc., Englewood Cliffs, 1967.

[11] Alvin W. Gouldner, ***The Coming Crisis of Western Sociology***, Heinemann, London, 1972, p. 394.

[12] Cf. a rica volta ao tema da reprodução proposta por Henri Lefebvre, ***La Survie du Capitalisme*** *(La re-production des rapports de production)*, Éditions Anthropos, Paris, 1973.

[13] Cf. Alfred Schutz, ***El Problema de la Realidad Social***, trad. Néstor Míguez, Amorrortu Editores, Buenos Aires, 1974, p. 215.

[14] Cf. Karel Kosik, ***Dialética do Concreto***, trad. Célia Neves e Alderico Toríbio, 2ª. edição, Paz e Terra, Rio de Janeiro, 1976.

[15] Cf. Monique Périgord, "Henri Lefebvre ou les moments de la quotidienneté", *in* ***Revue de Synthése***, n. 87-83, juillet-decembre 1977, pp. 235-254.

[16] *Ibidem*, p. 236.

[17] Foi Henri Lefebvre quem propôs da maneira sociologicamente mais consistente a questão do *possível*, articulando-a com o tema dos *resíduos*, do que não pode ser capturado pelos poderes e, portanto, propõe e reclama o novo. Uma inovação essencial em sua obra é a indicação de que além de dedução e indução, a ciência social deve trabalhar com a *transdução*, a lógica do possível. Entre outros livros desse autor sobre esses temas, cf. ***Critique de la Vie Quotidienne***, Volume I, 2ª. edição, L'Arche Éditeur, Paris, 1958; ***La Pensée de Lénine***, Bordas, Paris, 1957; ***Métaphilosophie***, cit.; ***La Revolución Urbana***, trad. Mario Nolla, Alianza Editorial, Madrid, 1972.

[18] Cf. Agnes Heller, ***La Théorie des Besoins chez Marx***, cit. O tema das *necessidades radicais*, as necessidades que fundam a *práxis revolucionária ou inovadora*, aparece proposto originalmente em Henri Lefebvre, ***La Proclamation de la Commune***, Gallimard, Paris, 1965, p. 20.

# A peleja da vida cotidiana em nosso imaginário onírico*

> "***Olha, não serve de nada*** tu ***falares em acordá-lo***",
> disse Tweedledum, "***se não és senão uma das coisas do sonho dele. Sabes muito bem que não és real.***"
> "***Sou real!***", disse Alice, e começou a chorar.
> "***Chorar não te fará nem um pouco mais real***", observou Tweedledee; "***não há razão para chorares.***"
> "***Se eu não fosse real***", disse Alice – meio a rir-se por entre lágrimas, tudo aquilo parecia tão ridículo – ***não poderia chorar.***"
>
> Lewis Carroll, ***Alice do Outro Lado do Espelho.***

A suposição que percorre estas indagações e reflexões é a de que os sonhos são documentos sobre o estado do relacionamento social entre nós e nós mesmos. São documentos sobre as mediações que nos roubam a autenticidade do viver; que nos fazem parecer, aos nossos próprios olhos, aquilo que não somos; que nos impedem de conciliar a nossa vontade com o nosso destino. No meu modo de ver, os sonhos, em vez de serem repetições deformadas do que ocorre na vigilia, são resíduos insubmissos da racionalidade e dos poderes dela derivados que, ao invadirem a vida cotidiana, reduzem a imaginação ao imaginário, a criação à submissão, a coragem ao medo.[1] O que nos aterroriza nos sonhos é a denúncia que nós mesmos nos fazemos de nossos temores e terrores, matérias-primas de nosso conformismo. A coragem da nossa noite põe diante dos nossos olhos e da nossa consciência a coragem que nos falta durante o dia em face do que nos conforma e nos obriga. A loucura da noite e do sonho denuncia a insanidade do dia e da vigília: a insanidade de um agir conduzido e demarcado por um querer alheio, não interrogado nem questionado.

A partir dessa perspectiva, faço aqui uma leitura inicial e introdutória de uma coleção de cento e oitenta sonhos recolhidos na região metropolitana de São Paulo por meus alunos, matriculados na disciplina *Sociologia da Vida Cotidiana*, em 1995. Foram entrevistadas pessoas de ambos os sexos, de diferentes idades, de adolescentes a idosos. Dentre elas, pessoas estranhas ao entrevistador e pessoas próximas ao entrevistador, como dois grupos de controle para avaliar se a proximidade acrescentava detalhes do sonhado que, eventualmente, não fossem mencionados pelos demais. Além disso, foi pedido aos entrevistados que interpretassem os próprios sonhos. Dessa maneira colhia-se, também, dados sobre o sonho como modalidade de ver a vida, de interpretá-la, e sobre o "método" de conhecimento de senso comum eventualmente empregado para estabelecer a ponte entre o mundo do sonho e o mundo da vida cotidiana.[2]

Florestan Fernandes, num estudo sociológico pioneiro sobre sonhos de habitantes da cidade de São Paulo, no início dos anos quarenta, sugere justamente, em curta e fundamental passagem, que o sonho é, para o homem comum, mais do que o sonhar. Para o homem comum, o sonho não se separa da interpretação do sonho. Sociologicamente, *o sonhado é o interpretável*. Basicamente, "porque o indivíduo se utiliza, nessas circunstâncias, de representações coletivas, a interpretação do sonho aparece como um fenômeno social, estando mais em função da cultura do grupo, que do próprio indivíduo."[3] Mesmo que, como esta pesquisa mostra, a *interpretação do sonho* esteja sendo substituída, nas áreas tendencialmente mais modernizadas da sociedade, pela *justificação do sonho*.

São essas representações (e essas justificações) crescentemente secularizadas que situam os sonhos para os próprios sonhadores e que organizam a própria narrativa do sonho. As populações mergulhadas na modernidade tendem a se relacionar com os sonhos de modo bem diverso do que acontece com as populações ainda organizadas com base no aconchego de relações sociais tradicionais e familísticas. Para estas, os sonhos são cheios de mistérios e de enigmas a serem decifrados. Pedem para ser interpretados na sua dimensão mágica e premonitória. As que foram educadas e socializadas nos hibridismos e distanciamentos da modernidade, e na individualização que a caracteriza, pautam-se por um senso comum que incorporou, com critérios próprios e simplificados, as descobertas da psicanálise e as contribuições da psiquiatria e da psicologia. Pedem para ser explicados, segundo critérios da ciência, ainda que vulgarizada. É o lugar dessas representações na constituição do imaginário onírico que, por sua vez, se propõe como a mediação propriamente social que reclama a interferência do sociólogo em seu estudo.

É muito significativo que os sonhos narrados sejam predominantemente sonhos relativos a desprazer e mal-estar, temor e terror. Raríssimos casos há, em nossa coleção, de sonhos relativos ao prazer e à alegria. Estes são geralmente sonhos de pessoas muito jovens e se referem quase sempre à sexualidade, como é o caso da polução noturna dos adolescentes (e mesmo aí, há sinais de medo). Tínhamos o elemento de controle mencionado para evitar que receio e vergonha interferissem nos relatos de uma boa parte dos entrevistados, pois essa poderia ser, justamente, uma causa de censura e viés.[4] Mesmo assim, a espontaneidade das narrativas levou a sonhos opostos a situações de prazer e alegria.

Minha interpretação é a de que *existe um conceito "popular" de sonho que não recobre todo o campo do mundo onírico.* Os depoentes tendem a considerar sonhos as experiências oníricas em que o imaginado se afasta da rotina cotidiana e assume características absurdas e ilógicas aos olhos do sonhador. Desse modo, muitos sonhos não são retidos pela memória dos sonhadores porque não têm essas características. Embora a tendência seja a de definir como sonho o que não pode ser compreendido pelo estilo cognitivo da vida cotidiana,[5] mesmo assim a gestação do conceito de sonho se determina pela mediação das experiências sociais concretas do vivido.[6] Daí, poder-se pensar a diferenciação dos sonhos, como faz Duvignaud, em associação com a diferenciação social dos sonhadores. Nesta pesquisa, as experiências sociais que mediatizam os sonhos são, claramente, sonhos de pessoas da classe média. Pela própria indefinição de características, condutas e orientações, pelas ambiguidades que lhe são próprias, pelas peculiares dificuldades de apreender e compreender os processos sociais de que é protagonista e vítima, a classe média é a categoria social provavelmente mais adequada para um estudo sociológico e exploratório sobre o sonho e o sonhar que seja revelador do imaginário do conjunto dos membros da sociedade.[7]

No geral, os sonhadores concebem como absurdos, de preferência, os sonhos que se referem a situações e ocorrências indesejáveis, em particular as que lhes causam medo e querem evitar. Por isso, na narrativa em que a memória do sonhador pode espontaneamente escolher os sonhos que quer relatar, os sonhos narrados estão referidos a esse critério. Provavelmente, teria sido possível alargar o terreno da memória, e colher sonhos mais acessíveis ao estilo cognitivo da vida cotidiana, se tivéssemos feito uma pergunta expressamente destinada ao registro de sonhos de prazer ou sonhos que apenas repetem o que de fato se passa na vida de todos os dias. Essa ausência, porém, não afetou o essencial da pesquisa, pois o objetivo era o de conhecer e compreender a diferença entre mundo do sonho e mundo da vida cotidiana. Nesse caso, os sonhos narrados espontaneamente, embora não cubram toda a extensão do onírico, mostram com clareza qual é a relação entre o cotidiano e o imaginário onírico, revelando, portanto, o modo como as situações e os processos sociais próprios da vida cotidiana são concebidos e vividos nesta sociedade.[8] O *imaginário desfigurado* nos mostra e revela, de fato, a *vida desfigurada* pelas mutilações que a reduzem ao atual e cotidiano. Uma vida, portanto, em que o sonho tende a se confundir com o pesadelo.

Os entrevistados pelos estudantes de Sociologia da Vida Cotidiana relataram duas modalidades de sonho: sonhos recentes e sonhos mais antigos, repetitivos ou estranhos, de que não puderam esquecer-se. Na avaliação do trabalho realizado ficou claro que a memória dos sonhos é mesmo memória restrita, limitada a apenas uma parte daquilo que foi sonhado. De um lado porque, como foi dito antes, o sonhador lida com um conceito restritivo de sonho. De outro, porque com o tempo os sonhos são facilmente esquecidos, mas também porque boa parte deles sequer permanece na memória do sonhador em estado de vigília.

Uma pesquisa sobre sonhos que são lembrados porque a pessoa é acordada no meio do sono poderia servir como material comparativo para melhor conhecimento do mundo onírico, pois nos revelaria um grande número de sonhos que, provavelmente, em circunstâncias normais, não seriam retidos pelo crivo da memória. Nesse caso, seria possível pensar numa pesquisa experimental, em laboratório, em instituições como os hospitais do sono: o voluntário seria acordado no meio da noite para narrar, imediatamente, o que estivesse sonhando. Valeria a pena, também, realizar um estudo comparativo sobre sonhos de pessoas que compartilham culturas e crenças religiosas, em que o sonho é parte integrante da vida, e sonhos de pessoas que vivem em sociedades secularizadas, que penso poder denominar *sociedades de vigília,* para as quais o sonho é irrelevante. Justamente porque o sonho tende a já não ser concebido como a ponte entre o mundo mais amplo dos ocultos significados e dos mistérios da vida, de um lado, e o mundo imediato, visível e cotidiano da vida de todos os dias, de outro. A vida cotidiana tende a ganhar autonomia em relação a uma concepção de mundo impregnada de fantasias e de significações cujo deciframento depende de um código próprio e estranho aos componentes propriamente racionais da sociabilidade moderna. O desencantamento do mundo, a que se refere Weber,[9] é um momento essencial na constituição da vida cotidiana. É para este último padrão que *tendem* as pessoas que vivem em cidades como São Paulo, caso da maioria das que foram entrevistadas nesta pesquisa.[10]

Embora exista a convicção difundida de que o estudo dos sonhos deva ser preferencialmente situado no âmbito da psicanálise e disciplinas afins, a realização de uma pesquisa sociológica sobre sonhos não é estranha à tradição de pensamento da sociologia e da antropologia. Duvignaud *et alii*, a propósito da diversidade social dos sonhadores, observaram que "a psiquiatria e a psicanálise propuseram-se unicamente perguntas sobre os sonhos *vulgares* quando se tratava de casos de enfermidade ou de criminalidade e, com frequência, sem preocupar-se com o conhecimento da fonte real de uma experiência aparentemente universal."[11] A crítica aí implícita à identificação do real com o racional, e a consequente remessa do sonho para o terreno da enfermidade, reaparece nos estudos de sociólogos e antropólogos que vêm investigando a relação entre o imaginário e a multiplicidade de realidades. Erich Fromm assinalou, a propósito, as duas formas de consciência que representam nossos modos de conhecer o vivido: a *consciência de vigília* e a *consciência de sonho.*[12] Referindo-se a Freud, diz que ele "não percebeu suficientemente que grande parte do que é consciente é fictício, e que grande parte do inconsciente é verdade, precisamente a verdade que não se permite que chegue à consciência e que promove o funcionamento e a conservação dessa estrutura social particular."[13] Para o sociólogo, no meu modo de ver, o sonho como campo de investigação e de interpretação se constitui a partir justamente do advento da vida cotidiana e do desencontro histórico e cotidiano entre o que o homem é e faz e o que o homem pensa que é e faz.[14] É na incerteza de sua alienação que se constitui o sonho próprio da modernidade.

Os sonhos arrolados na coleção decorrente da pesquisa têm alguns traços reiterativos: as pessoas falam da sensação de estar caindo, de estar voando ou flutuando; paredes que se contraem sobre o corpo do sonhador; paredes que subitamente se tornam transparentes ou que desaparecem, revelando a nudez de quem sonha e deixando-o desprotegido e constrangido; pessoas que se sentem aprisionadas ou que aprisionam os outros; súbito aparecimento de alguém ou de algo estranho, que persegue o sonhador; sonhador que tenta escapar, mas não consegue mover-se; assaltos e assassinatos em que o sonhador ou alguém muito próximo é vítima; casos em que o sonho é de medo de ser morto, mas em que o sonhador mata.

Num número muito grande de casos, o sonhador sonha consigo mesmo, mais a mãe, mais o pai, eventualmente mais os irmãos, menos frequentemente também os amigos. Nesses sonhos, a maioria das outras pessoas não tem rosto, ou não tem fisionomia ou o rosto não pode ser visto. Ou, então, não estão visíveis, mas a narrativa sugere que lá se encontram. O núcleo familiar aparece como grupo em que o sonhador está bem e à vontade, mesmo quando esteja presente no sonho um parente falecido, especialmente pai ou mãe. Nesses casos, todos falam de uma sensação de reencontro, de paz e alegria. Apenas num caso, o rosto deformado da mãe falecida três dias antes, encheu uma sonhadora de pavor.

Ao mesmo tempo, com frequência, o grupo familiar (e essencialmente grupo familiar paterno) aparece ameaçado de desagregação (por morte, por viagem, por casamento de parente próximo, por conflitos internos). E é surpreendente como a efetiva ruptura de relações sociais, sobretudo no grupo doméstico, emerge no sonho através de mãos dadas que se soltam, rostos conhecidos que se deformam e desvanecem, (des)figurações, enfim, que simbolicamente dão nova forma a vínculos que se rompem. Muitos sonhos são marcados pelo fato de que o sonhador é ameaçado por *estranhos* (demônios, humanos deformados e fantásticos, pessoas mortas ou pessoas vivas sem identificação ou mesmo pessoas identificadas, mas desfiguradas). *Quase todos os sonhos têm implícito um conceito de estranho* e de um estranho que representa perigo e ameaça para o sonhador (tentativa de capturá-lo, por exemplo) ou para o grupo familiar (risco de destruí-lo).

O *mundo do sonho* é clara e estruturalmente, no caso da população estudada, o mundo da tradição e das relações sociais tradicionais, por oposição à ideia de mundo racional e moderno. É um mundo que tem como referência o familístico e comunitário e a afetividade neles embutida. É significativo que, quando solicitados a interpretar os próprios sonhos, apenas pouquíssimos sonhadores, geralmente mulheres, puderam fazê-lo, reconhecendo o mundo do sonho como um mundo próprio, que simbolicamente expressa em outra linguagem aquilo que acontece na vida de todos os dias. E que, portanto, reclama um esquema singular de deciframento, um código próprio, para que possam ser lidos e entendidos na vigília da vida diária. A maioria, embora sonhe com situações sociais em que as relações entre as pessoas são relações afetivas, familísticas, comunitárias e tradicionais, na hora de interpretar os sonhos invocam justificações de tipo racional para situá-los e subestimá-los, sem conseguir interpretá-los, como se o momento de sonhar fosse um momento de anomalia. No meu modo de ver, esse desencontro é indicativo da substantiva permanência de referências estruturais comunitárias e tradicionais na base da consciência dos membros de uma sociedade como esta, que realiza de forma imperfeita e incompleta a transição para o mundo racional e moderno. O moderno é, no fundo, apenas tênue carapaça que recobre precariamente as seguranças mais profundas de relações sociais arcaicas.[15] Tão precariamente que, apenas cessada a vigília ao final do dia, esse mundo pretérito emerge à consciência, no sonho, para expor, julgar e temer as irracionalidades e desencontros da vida cotidiana.

Nos diferentes casos, há uma certa concepção de que as coisas estão acabando, caracterizada pelo reconhecimento da invasão da vida da pessoa, mas sobretudo invasão do grupo familiar, por estranhos. A casa (paterna) é um cenário frequente. Quando não é a casa, é um galpão, um hotel (e hotel aparece como uma casa liminar, uma casa transitória, quase anticasa). Quando o cenário do sonho é a rua, no geral o sonhador aparece correndo de algo ou de alguém, que tem forma humana, mas sem rosto ou identidade. Ou, então, querendo correr, sem poder fazê-lo. Na rua os sonhadores se sentem ameaçados por coisas e entes perigosos, persecutórios, daninhos.

Nos sonhos, a rua está em oposição à casa da família. Diferente da casa, o lugar público é um cenário de medo. É um lugar *em* que se está fugindo, não é um lugar em que se permanece.[16] Essencialmente, o lugar público não é um lugar de pessoas reais, mas de pessoas supostas. Diferente do que ocorre no interior da casa de família, as pessoas da rua são anônimas e abstratas e sua identidade difusa não é constituída por relações concretas em que se sabe quem é o outro – qual o seu nome, quais as diversidades de relações sociais conhecidas que as situam no mundo de que também fazemos parte. Sua identidade é constituída pela suspeita e pela (des)confiança. A partir de frágeis indícios imaginamos o outro para com ele nos relacionarmos. É assim que se produz o (pre)conceito, o julgamento baseado em suposições que são os nossos próprios temores. O mundo da casa é o mundo da confiança em oposição ao mundo da rua, que é o da desconfiança. A pressuposição dos relacionamentos no grande mundo dos anônimos é a de que estamos no mesmo espaço, mas não estamos *juntos com* o outro, não estamos integrados num mesmo corpo. As relações da rua não são relações da reciprocidade gratuita, são relações de interesse. Ao nos mostrar o outro como agente do medo, como ameaça e inimigo que persegue, o sonho revela uma verdade, a verdade das relações contratuais e formais em que estamos efetivamente sozinhos, embora contratualmente ao lado do outro, cujos interesses são opostos aos nossos.

A perseguição sofrida pelos sonhadores se torna invasão dentro da casa. A casa que aparece nos sonhos é uma casa ameaçada pelo de fora e estranho, pelo perseguidor, uma casa invadida ou prestes a sê-lo. A invasão, não raro, aparece na forma de cenas e movimentações de rua no interior da própria casa, invadida por transeuntes anônimos e sem face. Essa casa acolhedora, ainda que sob ameaça do que vem de fora e da rua, é, no entanto, ao mesmo tempo lugar do punidor, daquele a quem se deve dar explicações ou a quem se deve apresentar justificativas sobre coisas feitas ou acontecidas, frequentemente o pai, mas também a mãe. A casa é, portanto, ainda que em oposição à rua, também um lugar de medo. Mas, da rua para a casa, as pessoas passam do medo ao desconhecido e ao não identificado para o medo ao conhecido, ao identificado, à autoridade, sobretudo do pai. Neste último caso, um medo completamente diverso porque se trata da sujeição mediatizada pelo afeto.

A maioria dos sonhos tem esses fortes componentes de medo. Um medo quase sempre relacionado com a transformação do sonhador em objeto, em ser na iminência de conversão em vítima, incapaz de ação, de defender-se, de tornar-se sujeito da situação. O sonhador com muita frequência aparece torturado pela necessidade de explicar isto ou aquilo, um atraso na escola ou no trabalho, algo que aconteceu e de que se sente responsável. O estranho nada cobra, e por isso mesmo aterroriza. Já o pai (e mesmo a mãe) é, não raro, a figura que cobra no interior da consciência do sonhador uma justificativa para algo que aconteceu ou algo que foi feito ou, até mesmo, algo que o sonhador tem vontade de fazer. O sonhador é uma pessoa que deve explicações a outrem. É um ser *dominado pelo outro*. Os sonhadores aparecem em débito moral, de um lado, com a sociedade abstrata e sem identidade; de outro com a figura da autoridade (paterna ou materna), concreta e com identidade. Mas, neste segundo caso, o sonhador é parte de um mundo estruturado. O temor ao pai (e também à mãe, embora menos e de outro modo) expressa sua adesão à função ordenadora e reguladora da autoridade, à aceitação, ainda que com ambiguidades, do acolhimento que ela representa. Já em relação à realidade anônima da rua e das situações sociais externas à casa, o temor é substituído pelo terror. Neste caso, o que o medo propõe é a fuga e não a obediência. Não raro, a rua aparece como lugar da morte ou então associada às características da morte. A face indefinida do anônimo é, no fundo, a face da morte.

As poucas óbvias transgressões são femininas. Curiosamente, não são casos de sonhos em que o tema é diretamente um ato transgressivo, mas de sonhos com a culpa pela transgressão que a sonhadora tem vontade de cometer e ainda não cometeu. O preço do desejo é a punição antecipada. O sonho é atravessado pela revelação de que a sociedade moderna é uma sociedade vigiada, impregnada de valores e concepções punitivos. Mas, uma vigilância punitiva que, embora conservando simbolicamente a figura do pai (e da casa) como personificação (e lugar) de seus mecanismos repressivos, transitou da dominação baseada na autoridade, na qualidade carismática de quem domina, à dominação baseada no poder delegado de um cidadão genérico e invisível.[17]

Essa é, certamente, uma indicação da variedade de formas da interiorização do olhar oculto que vigia (e pune) a cada um, a que se refere Foucault.[18] Em Foucault, porém, no meu modo de ver, prevalece a suposição de que o homem comum tornou-se uma vítima impotente dos mecanismos ocultos de vigilância, do olhar invisível que dissemina a suspeita como técnica de controle social. Ele próprio assinala a importância da claridade, da luminosidade e transparência dos ambientes para assegurar a eficácia de um difuso e disseminado olhar do poder. Diversamente dele, pode-se, pois, pensar que a *escuridão tornou-se o ambiente do contrapoder.* A escuridão, aí incluída a escuridão onírica, se situa no preâmbulo da insubmissão. E ela se tornou não só a contraluminosidade do sonho, mas estabeleceu também que as sombras constituem o cenário próprio da transgressão no mundo atual, isto é, o cenário do desafio à ordem e ao poder. Henri Lefebvre fez acuradas e fecundas observações a respeito da totalidade na unidade "dos labirintos subterrâneos e dos contornos plenamente iluminados".[19] Em entrevista a M. A. Burnier e Patrick Rambaud, em 1972, retomando algumas de suas análises sobre a relação entre o corpo e o espaço, observou: "A monotonia e a multiplicação continuam sendo a ditadura do olho. As técnicas ocupam neste espaço dominador e dominado o lugar que lhes corresponde, o desenho contribui para o empobrecimento desse universo reduzindo a forma à função. Consequência primeira e fundamental: o desaparecimento do corpo. Tudo se reduz a uma visualização intensa, isto é, a um rechaço da experiência e do vivido. Embora portador dos olhos, o corpo não se esgota no visível, no legível ou no escrevível; continua sendo opaco e carnal. O corpo se desvanece sob esta leitura que não é inocente ou estética, mas política e ideológica, destinado à terra, aos espaços subterrâneos, às escuras e simbólicas funções da sexualidade e da dejeção que lhe reserva certa psicanálise, também ele é atacado e negado duramente."[20]

Com o advento da cotidianidade, o homem comum cai sob domínio de suspeita difusa; cabe a ele o ônus de provar permanentemente que é inocente.[21] É na escuridão da noite (e do sonho) que a importância repressiva da luminosidade e da transparência se revela amplamente sob o ângulo crítico da culpa e do medo. É nela que as transgressões cotidianas vertidas para o sonho mostram o que efetivamente alcançam e assinalam na realidade social e visível. É no absurdo do sonho que a vigília repressiva que sustenta a racionalidade da ordem social mostra o seu lado oculto, não iluminado, irracional.[22]

O que é propriamente cotidiano, ainda assim, aparece como cenário *de fundo* dos sonhos (a rua, o lugar de trabalho, lugares da cotidianidade). O cenário próximo e íntimo é o da centralidade da casa (que é cotidiana, porque rotineira, mas que resiste à cotidianidade) porque é tradicionalista, no sentido de lugar dos vínculos umbelicais e naturais. Tudo indica que a casa que aparece nos sonhos é uma casa idealizada, muito diferente da casa cotidiana, sobretudo porque é uma casa despojada. Basicamente, é um cenário de paredes e pessoas, mais de pessoas muito próximas do que de paredes, pois as próprias paredes se tornam às vezes ameaçadoras e perigosas, como no caso do sonho em que a sonhadora, no banheiro, as vê repentinamente se tornarem transparentes, revelando sua nudez. Esse despojamento "descotidianiza" a casa, priva-a dos objetos que a partir do século XIX trouxeram a vida cotidiana para dentro dela, num movimento de instauração, ao mesmo tempo, da intimidade doméstica e da privacidade pessoal interiorizada,[23] o que ocorreu também aqui.

No sonho ela aparece como cenário de uma vida rotineira ameaçada – pelos temores oriundos diretamente da vida cotidiana (a vida cotidiana como sociabilidade, tempo e realidade da ameaça e do medo); pelo estranhamento, o estranho e desconhecido com quem se convive lado a lado sem poder identificá-lo; pela suspeita, pela incerteza. A casa aparece, assim, como lugar de refúgio contra as ameaças da vida cotidiana. Vida cotidiana que se desenrola essencialmente em espaços públicos (na rua, em grandes espaços indefinidos) em contraposição ao espaço privado da casa, ainda não alcançado propriamente pela cotidianidade. Em outras palavras, aquilo que é propriamente vida cotidiana aparece em conflito, como ameaça, com aquilo que é íntimo, doméstico e rotineiro. A vida doméstica e familiar aparece nos sonhos como lugar de segurança, de paz, de proteção, ainda que lugar de dominação, autoridade e controle – um lugar quase uterino;[24] a vida cotidiana, desfigurada, desidentificada, marcada por surpresas (a expressão "de repente" aparece em grande número de relatos de sonhos: de repente me aconteceu isto, de repente apareceu aquilo), se mostra como o oposto da vida doméstica e familiar.

Não houve nenhum sonho com espaços e situações não cotidianas (sonhos artísticos ou religiosos, por exemplo; o propriamente religioso aparece no seu polo negativo: o demônio, o mal, a perdição, o abismo, frequentemente a morte).

É significativa a dificuldade para interpretar os sonhos. Há desde os que nem mesmo estão preocupados em interpretá-los (caso especificamente das pessoas mais jovens[25]) até os que invocam esquemas parapsicanalíticos, fórmulas de psicanálise reduzidas a critérios de senso comum para dar sentido aos sonhos.[26] Neste último caso, o sonho perde sua qualidade de sonho, reduzido a uma explicação racional – uma espécie de domesticação do sonho. Os mais velhos ainda parecem ter esquemas de explicação para os sonhos, pontes para dar sentido à falta de sentido que separa a vigília do sonho. Essa explicação está, no entanto, referida a um mundo ordenado simbolicamente, de que a própria interpretação faz parte. O sonho é aí componente, extensão e não crítica e contraponto, da realidade.

Os sonhos coletados na pesquisa parecem indicar que o homem contemporâneo, que é personagem destas indagações, diversamente dos antigos, não conseguiu ainda produzir uma explicação de senso comum para decodificar os sonhos modernos, que, mediados pela vida cotidiana e um cotidiano que se oferece como âmbito do medo, não estão integrados num sistema simbólico que cimente a unidade desses mundos diversos, o da vigília e o do sonho. Não podem, ainda, conviver com esses sonhos que não têm explicação nem têm sentido porque expressam justamente o fato de que a cotidianização da vida no mundo moderno é essencialmente a inauguração de um modo de vida demarcado e mediado pela falta de sentido (ou pela superficialidade do sentido) da maior parte dos atos propriamente cotidianos. E pela expulsão do sonho do âmbito da realidade imediata e cotidiana.[27] O sonho torna-se residual em relação à vida cotidiana: na vida cotidiana não se sonha. O que é propriamente sonho, em oposição à vigília, aparece como se estivesse situado no território da loucura, do excepcional, essencialmente porque o sonhador se descobre completamente desprovido de vontade própria, de poder sobre suas decisões e sobre as consequências de suas decisões.[28] No entanto, como observa Lefebvre, a propósito da relação entre o banal e o misterioso, "o mito da banalidade cotidiana se dissipa no fato de que o mistério aparente se revela numa banalidade real, e que a banalidade aparente se revela no aparentemente excepcional."[29]

A vida cotidiana se instaura quando as pessoas são levadas a agir, a repetir gestos e atos numa rotina de procedimentos que não lhes pertence nem está sob seu domínio. A vida cotidiana começa a nascer quando as ações e relações sociais já não se relacionam com a necessidade e a possibilidade de compreendê-las e de explicá-las, ainda que por meios místicos ou religiosos; quando o resultado do que se faz não é necessariamente produto do que se quer ou do que se pensa ter feito.[30] O vivido torna-se o vivido sem sentido, alienado. Ou, melhor, seu sentido se restringe às conexões visíveis dos diferentes momentos do que se faz. Os desdobramentos remotos do que fazemos (ou, ao menos, a suposição dos desdobramentos) já não são acessíveis na significação de cada gesto e de cada passo. Estamos aparentemente condenados ao tempo trágico do *atual* e do imediato, ao tempo da falta de imaginação e da falta de esperança.[31] O estranho e indecifrável já não nos incomoda nem mesmo como mistério. Ele não tem explicação: é um invasor que está no interior de cada um.[32] Uma boa parte da vida cotidiana é desesperada busca de sentido *aparente* para o que fazemos ou para o que acontece conosco e ao nosso redor. Através de uma eficaz dramaturgia social, os estudos sociológicos de Goffman documentam e demonstram como o homem comum, imerso na vida cotidiana, se debate todo o tempo para simular o que não é, para evitar que os outros reconheçam aquilo em que não se reconhece e não quer ser, para dar sentido àquilo cujo sentido lhe escapa.

Os sonhos coletados nesta pesquisa exploratória sugerem, aliás, que o estranho que aparece no mundo onírico é, na verdade, o *outro imaginado*. Se por um lado, o outro imaginado é expressão das relações de estranhamento a que cada um é submetido no mundo que se torna moderno, é, por outro lado, a forma assumida pelo próprio sujeito nessas mesmas relações. O sujeito não tem como se reconhecer nas relações sociais de todos os dias senão como sua própria alteridade, isto é, como *ser social*; não mais como pessoa inteira, singular, como senhor da unidade pensamento-ação-consequência. Ao se produzir *nas* relações sociais ele é, de fato, produzido *pelas* relações sociais, de algum modo, mais ou menos profundo, alguém muito diverso daquilo que quer ser ou daquilo que acha que é. *O homem da vida cotidiana se sonha como outro, como seu próprio eu irreconhecível. Sua identidade não lhe pertence.*[33] Por mais que a busque acaba achando sempre o estranho, o seu próprio estranhamento e, portanto, *a negação de uma identidade própria*. Ou, então, *uma contraditória identidade desidentificadora, em que o sujeito ao se encontrar se perde, pois ao ver-se no espelho da vida, que é o sonho, não se reconhece*. Basicamente porque perdeu a capacidade de compreender o seu estranhamento e de lidar com ele. Mesmo que não queira, na vida cotidiana ele é exatamente aquilo de que foge quando sonha. É esse desencontro que define o que é o sonho na sociedade moderna. No fim das contas, na vida cotidiana cada um já não pode se remeter à totalidade natural e íntegra do mundo comunitário e tradicional (e daquilo que dele resta – sitiado, ameaçado e já dilacerado – que é a família e família dos pais) a não ser em sonho. O desencontro é também um desencontro de gerações, uma descontinuidade dos filhos em relação aos pais,[34] o que sugere a disseminada diversidade dos âmbitos alcançados pela alienação no mundo moderno. O desvario onírico indica que não é apenas o trabalhador que se perde em relação ao seu trabalho, mas que na sociedade atual o sujeito é levado a vivenciar várias dilacerações e personificações em crise.

No mundo do sonho não se sonha com a vida cotidiana, mas com uma interpretação familística e tradicionalista do dilaceramento e da mudança radical que seu surgimento representa na vida de todos. A matéria-prima que a vida cotidiana oferece ao sonho é sua própria recusa no medo que suscita.[35]

A crueza dessas manifestações nos sonhos coletados mostra, por outro lado, que nas análises clássicas da alienação e, sobretudo, em sua formulação materialista, como em Marx, há certamente um problema quando ela é pensada como um fenômeno social essencialmente referido ao trabalho e, portanto, à vigília. É certamente insuficiente essa concepção da alienação, pois nos diz quais são as condições históricas que definem e limitam o horizonte do homem, sua consciência, seu agir. Mas, não nos diz como é que o homem *vivencia* essa limitação, isto é, como a *experimenta* nas relações sociais de que é agente, *como age e interpreta ao mesmo tempo*. Se as contradições sociais no plano objetivo se apresentam como apropriação *privada* dos resultados do trabalho *social*, no plano subjetivo elas são experimentadas como desencontro entre o sonhar e o viver. O operário não trabalha apenas. O operário que trabalha, que submete seu corpo, seus gestos, seus movimentos ao ritmo da máquina, à disciplina do processo de trabalho, e ao desencontro do processo de valorização, de apropriação privada dos resultados da produção social, também dorme e sonha.

É verdade que aquelas interpretações, mesmo limitadas, assinalaram em tempo que o corpo submetido à disciplina do processo de trabalho não é mais o corpo submetido à própria inteligência e à própria imaginação de quem trabalha. Submetido, pois, daí em diante à lógica e ao "modo de pensar" da coisa morta que é o capital, que se torna senhor do saber que organiza as funções, os gestos e os movimentos do operário. Marx assinalara que, diversamente do artesão tradicional, já não é a própria mente do trabalhador que se ocupa do trabalho que executa, pois agora reina a separação do trabalho manual em relação ao trabalho intelectual. A mente do trabalhador no trabalho é mente cativa do processo de trabalho, é processo intelectivo subjugado por um pensar estranho ao próprio ato de trabalhar. É um pensar *do trabalho puro*, personificado no agente do trabalho intelectual, mas já não é um pensar *do trabalhador*.

No entanto, Marx não se perguntou o que acontece com a mente do trabalhador e do homem moderno quando liberada da necessidade de se constituir na inteligência imaginativa do trabalho.

De que se ocupa essa mente desvinculada agora da tarefa de dar sentido ao trabalho, reduzida à prosaica tarefa de interpretar o trabalho pelo trabalho, sem conhecer o destino e o sentido do que é produzido por meio dele? *Ela imagina e sonha*.[36]

Marx pode ser perfeitamente alcançado pela crítica de Bastide ao racionalismo que domina a inteligência ocidental, essencialmente responsável pelo abismo que se abre entre a metade diurna do homem e sua metade noturna. Já foi assinalado por diferentes autores que Marx, no início de sua vida intelectual, pensou a alienação filosoficamente. Só mais tarde ele desenvolveu a respeito uma interpretação histórica e substantiva, sociológica. Foi quando a reexaminou no contexto da coisificação das relações sociais e, portanto, da sua compreensão pelo homem comum na vida cotidiana, ao se instaurar e disseminar o mundo da mercadoria, o mundo invertido das relações em que as coisas é que parecem ter vida e as pessoas aparecem como objeto das coisas. Usando uma distinção de Henri Lefebvre, podemos dizer que a consciência social do homem comum e cotidiano é mediada por esse filtro coisificador que a empobrece como imaginação e a enriquece como imaginário.

Mesmo aí, porém, sua concepção da mente alienada do homem comum é a de uma mente cativa da coisa, do produto, e não o contrário. Ele próprio não levou adiante sua fundamental constatação de que no descompasso do processo de trabalho em relação ao processo de valorização, isto é, de acumulação, a inteligência do trabalhador em relação ao trabalho se torna inútil, supérflua, imperfeita, desnecessária; ela se liberta, flutua livremente em relação ao próprio trabalho. A robotização nos diz isso com clareza. É verdade que flutua livremente nos limites e condições de uma sociabilidade demarcada e mediatizada pela alienação, pelo desencontro e pelo estranhamento do homem em relação a si mesmo. Faltou aí o aprofundamento da análise propriamente sociológica, o que se explica pelas próprias condições do trabalho na época, ainda transitando do artesanato e da manufatura para a grande indústria, para processos de trabalho completamente organizados e dominados pelo capital.

Ao imaginar e sonhar, mesmo tendo como referência o terror de um mundo em que o homem não se reconhece no que faz, como se vê nos sonhos coletados nesta pesquisa, em vez de desconhecer o estranhamento, a alienação, o homem comum reconhece o estranhamento, toma um certo tipo de consciência da sua alienação. Se a vigília oculta o desencontro para torná-lo dócil à exploração e à dominação, o sonho, incomodando-o, de certo modo, lhe revela a dilaceração de sua pessoa, o desencontro da sua consciência e do seu corpo, o terror de uma vivência que o divide, de um mundo em que é impotente para se reconhecer como aquilo que é, faz e acredita ser. É claro que o imaginário onírico, nesses casos, é apenas um certo tipo de consciência da alienação, porém legítimo e denunciador: por meio dele, a alienação aparece como mal-estar, o mal-estar da vida cotidiana e do mundo moderno.

A coleção de sonhos nos mostra que as pessoas, através dos sonhos, elaboram diferentes *modos de conhecer a alienação* que as torna membros da sociedade e que mediatiza a constituição da sociedade moderna. Nos sonhos, de fato, elas *sonham com as contradições* que definem um modo (histórico) de ser e de situar-se no mundo. Contradições que, ainda que não compreendidas na perspectiva do teoricamente concebido, propõem-se-lhes na perspectiva do subjetivamente percebido e do socialmente interpretado.[37] Na unidade de sonho e vigília essas contradições não se ocultam nem a alienação prevalece em toda a extensão da vida como a falsa consciência absoluta que ocupa o lugar da verdade de cada um e de todos.

A mediação fenomênica da vivência dessas contradições está também, por sua vez, impregnada de contradições,[38] as contradições que opõem o mundo do sonho ao mundo da vigília, na unidade de sonho e vigília.[39] Na medida em que o sonho se situa no âmbito do excepcional, em oposição ao banal, ele encerra também a crítica do banal, do rotineiro e cotidiano, do qual se alimenta, pelo excepcional.[40] Esses mundos não só se constituem na recíproca alteridade, mas também na recíproca *necessidade.* Portanto, há no sonho uma certa dimensão de negação, que não chega a se constituir, porém, em negação da negação, em projeto e práxis. Na melhor das hipóteses, onde o abismo entre vigília e sonho ainda não se abriu, gera uma prática mágica e supersticiosa que exorciza preventivamente o descontrole de uma vida que se desenrola fora do domínio de cada um. Negação, sobretudo, porque contrapõe ao terror da desidentificação, de uma humanidade persecutória sem face, do abismo representado pela falta de sentido do que fazemos, a identidade, o acolhimento e o espaço seguro e demarcado da casa e da família imaginados e idealizados, ainda que na sua temporalidade pretérita, vencida, minada.

A dolorosa e insuficiente assimilação dessa realidade desprovida de sentido é indicada claramente nos casos em que os sonhadores dizem que acordam gritando, apavorados, gelados, aterrorizados em face do estranho e do estranhamento. Desse modo, as indicações colhidas sugerem que vivem apenas no limiar da vida cotidiana, isto é, ainda não vivem na (e a) cotidianidade, que não é a aceitação resignada da impotência de todos os dias, mas a vivência do estranhamento mediada pela consciência crítica dessa impotência. O sonho é frequentemente a manifestação primária dessa consciência.

A grande dificuldade sociológica para analisar os sonhos, numa perspectiva que recupere a unidade de sentido que há entre sonho e vigília, é justamente a barreira lógica que a vida cotidiana ergueu entre um mundo e outro. Mas, também as ciências, ao definirem o sonho como objeto específico de específicas modalidades de conhecimento, acentuaram esse banimento. Fica, assim, difícil reencontrar os nexos que no passado pré-capitalista e pré-moderno asseguravam que vida e sonho eram momentos contraditórios da mesma realidade, completavam-se e interpenetravam-se.

Além disso, há uma questão posta pelo contraponto onírico entre a comunidade familística e doméstica acolheredora e a desordem pública hostil e ameaçadora de lugares povoados por desconhecidos e perseguidores; pelo contraponto entre uma temporalidade que flui calmamente e sem surpresas (nem mesmo a surpresa dos mortos conhecidos que retornam e conversam) e uma temporalidade assustadoramente marcada por aparecimentos súbitos de pessoas e seres desconhecidos, sem face e sem identidade, e acontecimentos inesperados.

De um lado porque, como vimos, o refúgio onírico da casa paterna e da família aponta com adequada justeza o sentido real das perdas decorrentes do desenvolvimento do capitalismo, da secularização e da modernização, cujos efeitos são apropriadamente registrados pelos sonhos no medo, no terror da falta de apoio para os pés, na sensação de fim e queda. De outro lado, há uma questão nesse contraponto porque o sonho, que pelo medo, aponta o sentido e a direção da recusa, da crítica e da contestação a uma vida cotidiana de desencontro do homem consigo mesmo, cada vez menos invade a vida, o momento da vigília, da ação, da prática e da contestação.[41] Provavelmente, porque em grande parte a própria concepção de revolução, iconoclástica e pessimista, que se firmou nos tempos modernos, destruiu a ponte que poderia uni-la à vida de todo dia e ao sonho no reencontro transgressivo e revolucionário de ambos.

## Notas

* Publicado, originalmente, como capítulo do livro de José de Souza Martins (org.), ***(Des)figurações – A Vida Cotidiana no Imaginário Onírico da Metrópole***, Editora Hucitec, São Paulo, 1996, p. 15-46. O material utilizado neste e nos textos citados a seguir é constituído dos 180 sonhos recolhidos em pesquisa *exploratória* sobre "O imaginário onírico do brasileiro", realizada pelos alunos da disciplina Sociologia da Vida Cotidiana, de 1995, do *curriculum* de graduação em Ciências Sociais, da Faculdade de Filosofia, Letras e Ciências Humanas da Universidade de São Paulo. O banco de sonhos encontra-se nas páginas 47-71 do livro. Além deste texto, os participantes do projeto produziram dois estudos sobre o tema. Esses trabalhos finais são os seguintes: Fraya Frehse, Larissa Barbosa da Costa, Maria Cecília Turatti e Valéria Macedo, "O estranho do sonho: entre o imediato e o possível", *in* José de Souza Martins, op. cit., pp. 73-100; e Ana Célia Martins Nogueira, Maria de Fátima Pinho, Milene Modesto, Priscila Matta, Rosana Fernandes e Roberto Goulart Menezes, "Dormindo com o inimigo (Reflexões acerca do estranho monstruoso que habita os sonhos do brasileiro)", *ibidem*, pp. 101-117.

[1] A concepção de *resíduo dos poderios* é noção central no retorno à dialética marxiana proposto por Lefebvre, porque diz respeito ao que não foi capturado pelos poderes, não só o do Estado, mas também o das diferentes formas de dominação, ao que é irredutível, insubmisso e, portanto, crítico e inovador. Ela contém ao mesmo tempo a concepção de *possível*, isto é, a concepção da historicidade do homem fundada na imaginação e na práxis. Cf. Henri Lefebvre, ***Métaphilosophie***, cit., esp. pp. 18-19 e 311-312; e ***Critique de la Vie Quotidienne***, tomo I, 2ª. ed., L'Arche Éditeur, Paris, 1968, p. 243 e ss.

[2] Foi expressamente solicitado aos alunos, como parte relevante do próprio exercício escolar representado pela pesquisa exploratória, que não recorressem nem à literatura psicanalítica e afim nem a especialistas dessa área para "decifrar" os sonhos recolhidos. É que a hipótese sociológica de trabalho era a de que o sonhador produz legitimamente a sua própria chave de interpretação dos sonhos. Diversamente do que ocorre com as interpretações de tipo psicanalítico, especialmente as vulgarizadas e de uso corrente na "cultura de corredor" das instituições acadêmicas, a suposição deste trabalho sociológico é a de que, na relação entre o pesquisador e o sonhador, a fonte legítima de interpretação é o conhecimento deste e não o daquele. Ou seja, o próprio sonhador produz um conhecimento de primeira instância sobre seus sonhos, de modo que para ele o sonho é uma revelação e não uma ocultação e um escamoteamento. O trabalho do sociólogo que se interessa pelos sonhos é o de conhecer esse conhecimento e situa-se, pois, no âmbito da sociologia do conhecimento de senso comum. A propósito deste último aspecto, cf. Peter L. Berger e Thomas Luckmann, ***La Construcción Social de la Realidad***, cit., *passim*.

[3] Cf. Florestan Fernandes, ***Folclore e Mudança Social na Cidade de São Paulo***, São Paulo, Anhambi, 1961, p. 370. Em 1941, quando ainda era aluno do curso de Ciências Sociais, como os estudantes desta nova pesquisa sobre o imaginário onírico, o autor recolheu 66 chaves interpretativas de sonhos nos seguintes bairros de São Paulo: Bom Retiro, Bela Vista, Lapa, Pari, Belém e Penha. O trabalho resultante foi publicado em 1944 na revista ***Sociologia*** (v. VI, n. 2, pp. 79-100, e n. 3, pp. 175-196).

[4] As pessoas íntimas e próximas ao entrevistador foram definidas como "grupo de controle" e as demais como "outros". Do total de pessoas entrevistadas, 56,9% são do "grupo de controle" e 43,1% do grupo "outros". Quanto ao sexo, 40,9% são do sexo masculino e 59,1% do sexo feminino.

[5] O conceito de estilo cognitivo é desenvolvido por Alfred Schutz. Cada mundo (o mundo da vida cotidiana, o mundo dos sonhos, o mundo da loucura, o mundo da arte, o mundo da ciência, etc.) tem o seu próprio estilo cognitivo, o seu próprio modo de conhecer, sua própria lógica. Esses mundos são províncias finitas de significado. Cf. Alfred Schutz, ***El Problema de la Realidad Social***, cit., p. 215.

[6] Halbwachs remete o estudo sociológico da memória ao vínculo com um grupo, caso em que o esquecimento estaria diretamente relacionado com o desapego ao grupo de referência. Essa formulação pode ser reinterpretada, como faço aqui, de modo a que, mais do que a vinculação a um grupo, se possa pensar na mediação da experiência do vivido como referência da memória e, neste caso, da lembrança do sonho. Cf. Maurice Halbwachs, ***A Memória Coletiva***, trad. Laurent Léon Schaffter, Edições Vértice, São Paulo, 1990, p. 27 e ss.

[7] Wright Mills definiu com precisão a situação e a mentalidade dos membros da classe média: "Interiormente se encontram divididos, fragmentados; exteriormente, dependem de forças maiores." O membro da classe média "É empurrado por forças que escapam de seu controle, arrastado por movimentos que não compreende; vê-se em situações em que sua posição é desesperada. O homem de classe média é o herói em forma de vítima, a pequena criatura que é manipulada, mas que não manipula, que trabalha anonimamente no escritório ou na loja de alguém, que nunca fala alto, que nunca responde, que nunca opina." Cf. C. Wright Mills, ***Las Clases Medias en Norteamérica***, trad. José Bugeda Sanchiz, Aguilar, Madrid, 1961, pp. 3-4 e 9.

[8] Mills nota que "é no torvelinho da experiência cotidiana do indivíduo que se deve buscar o marco da sociedade moderna; nesse marco deve ser formulada a psicologia do homem pequeno." Cf. C. Wright Mills, ob. cit., p. 18. Nesse marco, penso eu, mais do que a pequenez do homem de classe média, deve o sociólogo buscar também as contradições em que esse ser está imerso e que, para muitos, se revelam no mal estar da vida mediada pelo pesadelo.

[9] Weber, porém, adverte: "A intelectualização e a racionalização crescentes não equivalem, portanto, a um conhecimento geral crescente acerca das condições em que vivemos. Significam, antes, que sabemos ou acreditamos que, a qualquer instante, *poderíamos, bastando que o quiséssemos*, provar que não existe, em princípio, nenhum poder misterioso e imprevisível que interfira com o curso de nossa vida; em uma palavra, que podemos *dominar* tudo, por meio da previsão. Equivale isso a despojar de magia o mundo." E esclarece, mais adiante: "O destino de nosso tempo, que se caracteriza pela racionalização, pela intelectualização e, sobretudo, pelo 'desencantamento do mundo' levou os homens a banirem da vida pública os valores supremos e mais sublimes. Tais valores encontraram refúgio na transcendência da vida mística ou na fraternidade das relações diretas e recíprocas entre indivíduos isolados. (...) só nos pequenos círculos comunitários, no contacto de homem a homem, em *pianíssimo*, se encontra algo que poderia corresponder ao *pneuma* profético que abrasava comunidades antigas e as mantinha solidárias." Cf. Max Weber, ***Ciência e Política – Duas Vocações***, cit., pp. 30 e 51 (grifos do original).

[10] Duvignaud *et alii*, em seu estudo sobre o imaginário onírico, pesquisaram a relação entre sonho e estratificações sociais e encontraram diferenças significativas entre sonhos de camponeses, empregados, comerciantes e artesãos, funcionários e operários. Eles observam que na clássica interpretação dos sonhos, que é a de Freud, "não há sonhos de operários nem de camponeses". Cf. Jean Duvignaud, Françoise Duvignaud e Jean Pierre Corbeau, ***El Banco de los Sueños*** *(Ensayo antropológico del soñador contemporáneo)*, trad. Jorge Ferreiro Santana, Fondo de Cultura Económica, México, 1981, p. 14.

[11] Jean Duvignaud *et alii*, op. cit., p. 25.

[12] Cf. Erich Fromm, "Consciencia y sociedad industrial", *in* Erich Fromm *et alii*, ***La Sociedad Industrial Contemporánea***, trad. Margarita Suzan Prieto e Julieta Campos, Sigloveinteuno Editores S.A., México, 1967, p. 4.

[13] Cf. Erich Fromm, *loc. cit.*, p. 7.

[14] Esse divórcio está assinalado numa formulação clássica: "O misterioso da forma mercantil consiste simplesmente [...] em que ela reflete ante os homens o caráter social de seu próprio trabalho como caráter objetivo inerente aos produtos do trabalho, como propriedades sociais naturais dessas coisas e, portanto, em que também reflete a relação social que medeia entre os produtores e o conjunto do trabalho, como uma relação social entre os objetos, à margem dos produtores." Cf. Karl Marx, ***El Capital***, tomo I, vol. 1, cit., p. 88.

[15] Essa constatação nos remete, obviamente, às concepções de Tönnies sobre a antinomia comunidade-sociedade, nas quais o autor destaca o caráter natural e profundo da primeira e o caráter artificial e superficial da segunda. Cf. Ferdinand Tönnies, ***Comunidad y Sociedad***, trad. de José Rovina Armengol, Buenos Aires, Editorial Losada S.A., 1947, p. 21.

[16] Reinterpretando ideias conhecidas, basicamente provenientes de Henri Lefebvre, Giannini sugere uma útil polarização de casa e trabalho no estudo da vida cotidiana: "O domicílio nos conduz assim ao outro foco da estrutura total que estamos analisando, a razão cotidiana pela qual se abandonou o domicílio: o trabalho." E acrescenta em outro trecho: "(...) a palavra 'rotina', que expressa uma ideia próxima, mas não coincidente com a de 'cotidianidade', provém de 'rota'. Da rota que se volta a fazer dia a dia; de um movimento rotatório que regressa sempre a seu ponto de origem. Mas, mais que descrever um espaço, a rotina assinala o tempo que volta a trazer o mesmo..." É a rua "pela qual costumamos passar rumo aos nossos assuntos rotineiros (...)" Cf. Humberto Giannini, ***La "Reflexión" Cotidiana – Hacia una Arqueología de la Experiencia***, Editorial Universitária, Santiago de Chile, 1987, pp. 27 e 22. Porém, o imaginário mapeado na investigação exploratória que aqui analiso, ao mesmo tempo que confirma o nexo entre a casa e a rua, mostra que se trata de um nexo reciprocamente excludente, que antagoniza a casa e a rua. Cada uma dessas realidades é permeada por uma lógica própria, determinada pelo tipo de sociabilidade que em cada uma pode haver. Embora haja uma rotina da casa e uma rotina da rua, as relações sociais que dão sentido ao que é a casa, como realidade sociológica, são opostas às relações sociais que dão sentido ao que é a rua. A noção de rotina não é, pois, suficiente para expor e compreender a vida cotidiana.

[17] Para a distinção entre autoridade e poder, remeto o leitor para a distinção clássica de Weber. Cf. Max Weber, ***Economía y Sociedad*** *(Esbozo de sociología compreensiva)*, trad. de José Medina Echevarría *et alii*, tomo II, Fondo de Cultura Económica, México, 1964, esp. p. 695 e ss.

[18] Cf. Michel Foucault, ***Surveiller et Punir***, cit.; Michel Foucault, ***Microfísica do Poder***, organização, introdução e revisão técnica de Roberto Machado, 3a. edição, Edições Graal Ltda., Rio de Janeiro, 1982, esp. pp. 209-227.

[19] Cf. Henri Lefebvre, ***Hegel, Marx, Nietzsche***, trad. Mauro Armiño, Sigloveinteuno Editores S.A., México, 1976, pp. 248-249.

[20] Cf. Henri Lefebvre, entrevista, *in* ***Conversaciones con los Radicales***, trad. J. Luis López, Editorial Kairós, Barcelona, 1975, p. 97. Ainda num possível acréscimo à ideia do olhar difuso que vigia desde o interior da consciência de sua própria vítima, convém ter presente, com Horney, que o desrespeito (eu diria, real ou potencial) a uma norma não deve encobrir o fato de que as normas desafiadas são, ao mesmo tempo, normas aceitas por quem as desafia. Cf. Karen Horney, ***Novos Rumos na Psicanálise***, trad. de José Severo de Camargo Pereira, 2. ed., Editora Civilização Brasileira, Rio de Janeiro, 1966, p. 194.

[21] Presenciei, há algum tempo, uma curiosa conversa entre um grande jurista e uma escritora, ambos conhecidos internacionalmente, meus amigos, em que a certa altura ele disse a ela: "Não basta você ser honesta; você precisa mostrar que é honesta."

[22] Os dois livros mais famosos de Lewis Carroll (***Alice's Adventures in Wonderland*** e ***Through the Looking-Glass***), especialmente o segundo, são documentos exemplares sobre as revelações sociológicas do absurdo e do onírico, quando em relações e atos cotidianos concepções invertidas, como nos sonhos, passam a ser o parâmetro para decifrar o sentido do que ocorre.

[23] O movimento de interiorização de práticas cotidianas e da vida privada foi protagonizado, na Europa, pela pequena nobreza na resistência à tentativa do Estado de submeter a controle público e anular as ações relativas ao preceito da honra e da aparência, especialmente a justiça pessoal. A transformação da casa em refúgio da vida privada e em lugar de momentos importantes da vida cotidiana foi, por isso, acompanhada do desenvolvimento das artes menores destinadas à decoração doméstica e à definição dos ambientes da casa de acordo com a nova mentalidade relativa à importância do privado na vida das pessoas dessa extração social. Cf. Philippe Ariès, "Per una storia della vita privata", *in* ***La Vita Privata dal Rinascimento all'Illuminismo***, trad. Patrizia Landucci *et alii*, seconda edizione, Editori Laterza, Bari, 1988, p. vii e ss. Essa vida cotidiana, portanto, é bem diversa do cotidiano banalizado do *homem sem qualidade*, pois se trata de *um cotidiano com estilo*.

[24] A característica uterina da casa em nossa cultura não é apenas força de expressão. Onde as concepções tradicionais ainda dominam as relações sociais, ela pode ser observada nos ritos fúnebres: a disposição do cadáver, no velório e nas cerimônias subsequentes, implica em que a cabeça fique voltada para

dentro da casa e os pés voltados em direção à porta e à saída. Trata-se de disposição inversa em relação à posição de nascimento. O interior da casa é, assim concebido, como um útero, cuja saída é a porta. Cf. Luís da Câmara Cascudo, ***Dicionário do Folclore Brasileiro***, Instituto Nacional do Livro, Brasília, 1972, p. 199; José de Souza Martins, "A morte e o morto: tempo e espaço nos ritos fúnebres da roça", *in* José de Souza Martins (org.), ***A Morte e os Mortos na Sociedade Brasileira***, Editora Hucitec, São Paulo, 1983, esp. pp. 265-266; José de Souza Martins, "Anotações de meu caderno de campo sobre a cultura funerária no Brasil", *in* Marcos Fleury de Oliveira e Marcos H. P. Callia (orgs.), ***Reflexões sobre a Morte no Brasil***, Editora Paulus, São Paulo, 2005, pp. 73-91.

[25] Sposito observou mudanças significativas na situação social dos jovens na cidade de São Paulo, na periferia e nas regiões mais pobres. Ela não só constatou a repetição do mais ou menos generalizado conflito entre as gerações mais jovens e a família, e a consequente busca de maior autonomia em relação ao grupo familiar; mas, também, o deslocamento do centro da sociabilidade juvenil da casa para a rua. A verificação de que está ocorrendo uma reorientação do interesse juvenil para formas de expressão que mobilizam mais intensamente o imaginário no próprio mundo da vigília, por meio da dança e da música, pode explicar, no meu modo de ver, a menor preocupação desses grupos com o onírico propriamente dito. Cf. Marilia Pontes Sposito, "A sociabilidade juvenil e a rua: novos conflitos e ação coletiva na cidade", *in* ***Tempo Social*** *(Revista de Sociologia da USP)*, v. 5, n. 1-2, Departamento de Sociologia, Faculdade de Filosofia, Letras e Ciências Humanas, Universidade de São Paulo, São Paulo, novembro de 1994, p. 161-178, esp. pp. 163-164. Embora o estudo se refira sobretudo a jovens negros, ainda que as formas de expressão sejam diversificadas quanto a raça e classe, fenômenos similares parecem estar ocorrendo em outros grupos raciais, étnicos e sociais.

[26] Duvignaud *et alii*, em sua pesquisa, constataram que categorias sociais como a dos comerciantes e a dos operários resistem à conversação sobre os sonhos porque se situam "fora de toda cultura imaginária". Cf. Jean Duvignaud *et alii*, ob. cit., p. 25. Isso não quer dizer que essas pessoas não sonhem, apenas indica que para elas os sonhos são irrelevantes e, provavelmente, mais facilmente sujeitos ao esquecimento. Na pesquisa de São Paulo, os dados sugerem que os jovens, supostamente mais integrados, estão nessa situação.

[27] A propósito justamente do sonho, Bastide observou que "em nossa civilização – ocidental – estão cortadas as pontes entre a metade diurna e a metade noturna do homem". Cf. Roger Bastide, "Sociologia do sonho", *in* Roger Caillois e G. E. von Grunebaum (orgs.), ***O Sonho e as Sociedades Humanas***, Livraria Francisco Alves Editora S.A., Rio de Janeiro, 1978, p. 138. Esse corte se acentua com a emergência da vida cotidiana.

[28] Na dramaturgia sociológica de Goffman encontramos situações sociais dos dois tipos: aquelas em que o sujeito ainda mantém o poder de manipulação das impressões do outro a seu respeito, que são as situações propriamente cotidianas (Cf. Erving Goffman, ***La Presentación de la Persona en la Vida Cotidiana***, cit.); e aquelas em que o sujeito foi privado desse poder, total ou parcialmente, como se dá na situação dos que vivem nos manicômios (Cf. Erving Goffman, ***Internados – Ensayos Sobre la Situación Social de los Enfermos Mentales***, trad. María Antonia Oyuela de Grant, Amorrortu Editores, Buenos Aires, 1970).

[29] Cf. Henri Lefebvre, ***Critique de la Vie Quotidienne***, tomo I, cit., p. 254.

[30] Marx já havia assinalado, a propósito do ato fundante da vida cotidiana, que é o do trabalho alienado, que, nas condições relativas à economia política, "esta realização do trabalho se manifesta para o trabalhador como *perda de sua realidade*, a objetivação como *perda do objeto* e sua *escravização* a ele, a apropriação como *estranhamento*, como *alienação*." Cf. Karl Marx, ***Manuscrits de 1844***, cit., p. 57.

[31] Há uma certa rendição incondicional na concepção trágica de um mundo de homens sem qualidade e sem História, rendição que se justifica numa *sociologia do atual*, como a de Maffesoli. Cf. Michel Maffesoli, ***La Conquista del Presente***, cit. Essa sociologia pessimista e do pessimismo, é claramente um contraponto tardio (e pós-moderno) à sociologia de Lefebvre, que retoma e enriquece a sociologia marxiana da esperança e da História. Em face do imaginário (manipulado e manipulável) que se sobrepõe à imaginação (criadora e revolucionária), Lefebvre recupera o sentido desta última e o sentido revolucionário do residual contra o institucional, reprodutivo e conformista. Cf. Henri Lefebvre, ***Métaphilosophie***, cit., *passim*.

[32] Franz Kafka está entre os autores que captaram esse viver sem sentido e sem domínio sobre o próprio ser. Em *Metamorfose*, Gregor Samsa acorda uma manhã duplamente reduzido à impotência:

transformado "numa espécie monstruosa de inseto" e de costas, incapaz de mover-se e defender-se. (Cf. Franz Kafka, ***Metamorfose***, trad. Brenno Silveira, BUP – Biblioteca Universal Popular S.A., Rio de Janeiro, 1963). Em *O Processo*, Josef K "sem que ele tivesse feito qualquer mal foi detido certa manhã". A habitação é invadida por um homem que ele jamais vira, que se assenhora do ambiente e em pouco K se torna um estranho em sua própria casa. (Cf. Franz Kafka, ***O Processo***, trad. Torrieri Guimarães, Editor: Victor Civita, São Paulo, 1979). Nas duas situações as personagens saem do mundo dos sonhos e entram no mundo da vida cotidiana sem passar pelo choque que essa transição envolve. Alfred Schutz diria que, nesse caso, sonho e cotidiano já não aparecem como distintas províncias de significado. No caso da literatura de Kafka, a lógica de um invade o outro, o cotidiano se torna um pesadelo.

[33] Gorz assinalou que "esses indivíduos, pensando fazer uma coisa, farão outra que não queriam fazer, mas que outros queriam fazê-los fazer; realizarão os fins desses outros acreditando que realizam os seus próprios fins." Isto é, nós nos tornamos o *outro*. Cf. André Gorz, ***História y Enajenación***, trad. Julieta Campos, Fondo de Cultura Económica, México, 1964, p. 59. No meu modo de ver, de certo modo os sonhos são indicativos de que o nosso próprio eu permanece criticamente ativo, na contradição de sonho e vigília, ao mostrar o absurdo da alienação.

[34] A propósito da descontinuidade de gerações na sociedade moderna, Mannheim observou, num trabalho ainda atual, que "ser jovem equivale a ser um homem marginal, um estranho em muitos sentidos." Cf. Karl Mannheim, ***Diagostico de Nuestro Tiempo***, trad. José Medina Echavarría, México, Fondo de Cultura Económica, 1946, p. 44. Uma fecunda análise da mesma descontinuidade encontra-se em Ianni: "No interior da família, onde se organiza e se condensa a *praxis* dos primeiros anos da vida da pessoa, exprimem-se as evidências iniciais de contradições insuportáveis. Quando o imaturo apreende intelectualmente as contradições entre os valores que lhe são incutidos e o comportamento efetivo dos que os preconizam, então se dá o primeiro choque criador." Cf. Octavio Ianni, "O jovem radical", ***Industrialização e Desenvolvimento Social no Brasil***, Editora Civilização Brasileira, S.A., Rio de Janeiro, 1963, p. 165. E, também, Marialice M. Foracchi, ***A Juventude na Sociedade Moderna***, Livraria Pioneira Editora, São Paulo, 1972, esp. p. 30.

[35] Schutz atribui ao mundo da vida cotidiana um lugar privilegiado no universo das realidades múltiplas, entre elas a do mundo dos sonhos. Este teria como referência a vida cotidiana, embora essas distintas províncias finitas de significado se tornem reais através de princípios cognitivos igualmente distintos. Schutz apenas assinala a diversidade lógica desses mundos. Cf. Alfred Schutz, ***On Phenomenology and Social Relations***, cit., pp. 245-262. A pesquisa aqui referida, porém, sugere que, ao menos numa situação de transição e de cotidianidade inconclusa, o que a vida cotidiana oferece como matéria-prima do sonho é o medo que ela suscita. E, portanto, de certo modo, a sua própria recusa e não a sua assimilação.

[36] A propósito desse tema e de outro tipo de imaginário, embora paralelo ao dos sonhos, cf. José de Souza Martins, "A aparição do demônio na fábrica, no meio da produção", cit., esp. p. 20.

[37] Em diferentes momentos de sua obra, Lefebvre ressalta a importância de uma distinção que, para ele, está preferencialmente referida ao espaço: o *espaço percebido* na prática social, o *espaço concebido* pelos teóricos e o *espaço vivido* pelo usuário através das imagens e símbolos que o acompanham. Uma conceituação que decorre da concepção triádica da dialética. Cf. Henri Lefebvre, ***La Production de l'Espace***, Éditions Anthropos, Paris, 1974, pp. 48-49.

[38] Em sua pesquisa sociológica pioneira sobre o folclore do sonho, na cidade de São Paulo, Florestan Fernandes confirmou a constatação do caráter antinômico dos sonhos, na crença popular de que o sonhado frequentemente é visão premonitória do oposto do que vai acontecer. Cf. Florestan Fernandes, ob. cit., pp. 370-371.

[39] Essa unidade está suposta em diferentes momentos da obra de Lefebvre. Ele entende que o cotidiano é também produto do modo de produção e nele se entrecruzam o tempo cíclico e o tempo linear, modalidades diversas do repetitivo e também demarcadores do ritmo dos processos sociais, de sua historicidade. Nessa perspectiva, o valor de troca, diz ele, não faz desaparecer o valor de uso, o quantitativo não suprime o qualitativo, o domínio quantitativo do ganhar não suprime a força histórica do viver. (Cf. Henri Lefebvre, ***Critique de la Vie Quotidienne*** – *De la modernité au modernisme (Pour una métaphilosophie du quotidien)*, tomo III, L'Arche Éditeur, Paris, 1981, esp. pp. 16-17). Em outro livro, ele diz: "O viver e o vivido individuais se reafirmam contra as pressões políticas, contra o produtivismo e o economismo. Quando não confronta uma política com outra, o protesto encontra apoio na poesia, na música, no teatro, e também na espera e na esperança do

extraordinário, do surreal, do sobrenatural, do sobreumano." Cf. Henri Lefebvre, ***Hegel, Marx, Nietzsche,*** cit., p. 2-3. A redução do viver ao trabalhar, como ocorre costumeiramente em muitas interpretações da vida social apoiadas na perspectiva materialista, destitui o viver de sua vitalidade, que só pode ser compreendida (e vivida) na unidade de vigília e sonho.

[40] "A crítica da vida cotidiana comporta (...) a crítica da banalidade pelo excepcional (...)" Cf. Henri Lefebvre, ***Critique da la Vie Quotidiene***, tomo I, cit., p. 266.

[41] Numa perspectiva oposta à que aqui desenvolvo, os dilemas aqui apontados estão propostos numa formulação lapidar de Weber: "Nada se fez até agora com base no fervor e na espera. É preciso agir de outro modo, entregar-se ao trabalho e responder às exigências de cada dia – tanto no campo da vida comum, como no campo da vocação. Esse trabalho será simples e fácil, se cada qual encontrar e obedecer ao demônio que tece as teias de *sua* vida." Cf. Max Weber, ***Ciência e Política – Duas Vocações, cit., p. 52.***

# Apontamentos sobre vida cotidiana e História*

*(A propósito de um texto de Ronaldo Vainfas sobre "História da vida privada: dilemas, paradigmas, escalas"*[1])

Centralizo meu comentário sobre o texto de Vainfas nos aspectos problemáticos de sua referência à vida cotidiana e à relação entre (no entender dele, os conceitos de) vida privada e vida cotidiana. Esse texto, mais do que outra coisa, documenta bem as dificuldades dos historiadores, que pelo tema se interessam, em dialogar com as ciências sociais afins, especialmente com a sociologia. Refiro-me não só ao próprio comentário de Vainfas, mas também, por meio das citações que ele faz, a Le Goff e Duby. É curioso que na mesma França de ambos, um outro francês, filósofo e sociólogo, Henri Lefebvre, o autor que desenvolveu as formulações mais abrangentes e consistentes sobre a vida cotidiana, seja por eles ignorado. Duby empobrece enormemente a concepção de vida cotidiana ao reduzi-la a "usos e costumes" e ao confiná-la à casa e ao quarto, conforme as citações de Vainfas, ao supor enfim que o lugar e o modo da vida cotidiana dizem respeito ao rotineiro e ao repetitivo. Apesar da orientação diversa de Le Goff, não é menos pobre sua concepção de vida cotidiana, também referida a usos e "mores", ainda que destaque a *vivência* dos costumes (e com isso sugira uma interpretação fenomenológica da vida costumeira e, portanto, do próprio vivido). Mas, mesmo assim, também aí estamos postos em face de um vivido repetitivo.

Ao falar da *vida privada* (e de sua relação com a *vida cotidiana*), Vainfas estranha que esses "novos problemas" e "novos objetos" não tenham sido levados em conta por autores como Duby e Le Goff, pois a partir da proposta de uma história da vida privada, feita em célebre artigo por Ariès,[2] já não se poderia pensar a história sem essas novas perspectivas. Penso que justamente aí começa a inconclusividade do texto de Vainfas, que ganha corpo ao longo do comentário, ao reduzir essas *concepções* à categoria de *conceitos*. Em consequência, parece-lhe inevitável que os historiadores utilizem *conceitos* novos para definir *novos problemas* e *novos objetos*, sendo apenas estranho que não o façam.

Para que o texto pudesse ganhar a dimensão crítica que pretende, teria sido necessário explicar por que os novos problemas são problemas e, sobretudo, problemas para quem e a partir de que ponto de vista. Do mesmo modo, teria sido necessário explicar por que os novos objetos são objetos e novos.

Na investigação científica, os novos problemas surgem sempre da possibilidade de novas indagações, propostas justamente a partir da consciência dos "vazios" contidos nos sistemas de conhecimento. Vainfas sabe, pesquisador que é, que um novo problema não sai do bolso do colete do pesquisador capaz de uma grande e genial sacada, como se costuma dizer. Por sua vez, num primeiro momento, um novo objeto se propõe por si mesmo, como resultado de uma consciência nova a respeito de coisas que podem ser velhas. Diferente do que ocorre na sociologia, na história um novo objeto, como a vida privada e a vida cotidiana, não raro tem sido proposto a partir de uma projeção retrospectiva do presente no passado. Isso já nos põe diante de uma dificuldade epistemológica, na qual se envolve o próprio Vainfas.

Vida privada e vida cotidiana, como objetos de conhecimento científico, são temas da atualidade, são temas da consciência social contemporânea e o são porque de algum modo são problemas para a sociedade. Em relação à sociedade, não há como tomar consciência de (novos) problemas e em consequência propor socialmente o delineamento do que pode vir a ser um novo objeto de conhecimento, sem que eles se proponham, também, de certo modo, à consciência do homem comum. Não é nos gabinetes e nas bibliotecas que essas coisas surgem em primeiro lugar. Ao tomar emprestadas concepções como essas para buscar na história sua pré-presença, os historiadores que o fazem podem evidentemente garimpar evidências de vida privada e evidências de vida cotidiana até no passado remoto. Ficam, porém, devendo a justificação da legitimidade do privilegiamento desses "conceitos" em relação a épocas em que eles ainda não eram um dado da consciência social e nem mesmo eram um "conceito".

O transplante dessas preocupações para uma sociedade periférica, de origem colonial, como a sociedade brasileira, nos põe diante de dificuldades adicionais. Como empregar em relação à sociedade brasileira do passado, que não era uma sociedade posta no centro do acontecer histórico, as concepções de vida privada e de vida cotidiana, expressões de mudanças inovadoras no modo de vida, próprias das sociedades europeias e dominantes? Eu teria dificuldade em aplicar ambas as concepções à sociedade brasileira de hoje e muito mais dificuldade teria para aplicá-las ao nosso passado. Não estou expressando aqui nenhum nacionalismo extemporâneo. Mas, entendo que uma discussão como essa, em grande parte postiça, no mínimo sugere implicitamente uma indagação consistente sobre nossas peculiaridades sociais no período correspondente. É necessário que aqui também se investigue aquelas transformações peculiares e próprias de nossa sociedade que, no âmbito limitado de nossa realidade histórica, podem ter anunciado e definido, em diferentes épocas, um novo modo de vida. Do mesmo modo que se impõe uma indagação sobre fatores e causas da nossa indiferença histórica ou, no mínimo, da nossa tardia absorção das inovações sociais gestadas e difundidas a partir das sociedades metropolitanas, como é o caso da vida privada enquanto modo de vida (e o é também a cotidianidade).

De fato, vida privada é um modo de viver muito residual em nossa sociedade atual. Não só porque milhões de brasileiros não têm onde viver o estado próprio e, sobretudo, o momento próprio de recolhimento que corresponderia à vida privada, habitando lugares impróprios para o surgimento de semelhante modo de vida, mas porque amplos setores da sociedade, relativos aos que têm as condições adequadas para assumi-lo e exercitá-lo, não o fazem necessariamente (a começar da universidade e sua cultura de conchavos, tricas e futricas). A nossa cultura urbana carnavalesca e exibicionista não favorece o desenvolvimento amplo e profundo da vida privada, a não ser como excrescência, sobretudo porque tem a rua como ponto de reparo.[3] Evidentemente, temos vida privada. Mas, não necessariamente vida privada como um modo de vida que defina um estilo dominante de viver. A diferença entre a rua e a casa é muito sutil em nossa cultura. Diferente do que ocorre na sociedade inglesa e na Europa em geral, em que essa diferença chega a ser ritualizada, com clara demarcação da distinção entre público e privado já nos detalhes de comportamento de cada pessoa. O fato de que, no Brasil, em público as pessoas se comportem como se estivessem em casa, desde o falar alto até o uso do telefone celular como se fosse um brinco ou um anel, constitui um indício forte da precariedade da vida privada entre nós. Uma certa falta de preocupação com o decoro nos marca e atormenta.

É claro que se pode encontrar entre nós muitas evidências históricas, e também evidências antropológicas atuais, de um modo de vida recolhido ao interior da casa e, sobretudo, recolhido a determinados aposentos da casa. Mas, isso não tem muito a ver (ou nada tem a ver) com o que o próprio Ariès define como um dos momentos constitutivos da vida privada, o da interiorização doméstica da vida da pequena nobreza alcançada pelo açambarcamento, pelo rei, de certos privilégios que pertenciam aos particulares. A vida privada que não temos surge, portanto, na Europa, dotada de um estilo, um estilo de sociabilidade e de mentalidade, mas também um estilo artístico presente nas chamadas artes menores da decoração doméstica, nos aposentos bem definidos em suas funções e relacionamentos. E nisso começa a diferença em relação à vida cotidiana, cujo traço próprio é a falta de estilo.

Certamente tivemos imitações desses estilos nas casas grandes e nos sobrados da aristocracia canavieira do nordeste, da aristocracia canavieira de São Paulo ou da aristocracia cafeeira fluminense e paulista. Os saraus promovidos por famílias gradas e mencionados por Maria Paes de Barros[4] e por Paulo de Almeida Nogueira,[5] entre outros, são bem indicativos desse transplante cultural. Aqui menos em consequência de um fato cultural novo, do que em consequência dos distanciamentos sociais próprios da velha sociedade estamental, que invadiram por longas décadas a nova realidade econômica capitalista da aristocracia fundiária.

O diário de Paulo de Almeida Nogueira, fazendeiro paulista e produtor de açúcar, é, nesse sentido, um documento de grande importância. Mas, esse estilo transplantado não produziu propriamente o aparecimento da vida privada como um modo de vida, e sua respectiva mentalidade, centrado na gestação da categoria de indivíduo. Dona Maria Paes de Barros, filha de um barão da cana-de-açúcar, até se casar ainda quase criança, teve, como suas irmãs e suas parentes, uma vida praticamente reclusa, numa época em que em São Paulo as rótulas das janelas ainda protegiam a mulher do olhar da "gentinha" – os mestiços, os caipiras, os negros, os imigrantes – que circulava pelas ruas da cidade.[6] Ela própria foi surpreendida certo dia pelo pai que lhe apresentou inesperadamente um noivo, decisão patriarcal negando abertamente qualquer componente cultural de vida privada.[7] E só vivenciou a sociabilidade própria da vida privada em consequência da conversão de sua família ao calvinismo, tornando-se membro da Primeira Igreja Presbiteriana Independente de São Paulo.

Mesmo os homens dessa casta de gente, que adotavam esse estilo de vida, estavam confinados aos recintos próprios para o exercício da sociabilidade de seu estamento, como documenta o diário de Paulo de Almeida Nogueira. Em ambos os casos, não se gestou aí um modo de vida que fosse realmente novo, que exigisse uma sociabilidade efetivamente nova, que se tornasse progressivamente acessível e até inevitável ao conjunto da população. De fato, o diário de Paulo de Almeida Nogueira tem várias e significativas referências a uma sociabilidade fortemente atravessada pelo familismo estamental das elites de então, exercitado no interior do grupo fechado de algumas dezenas de famílias, em graus variáveis aparentadas entre si. A frequência dos casamentos intrafamiliares na elite de então, como se pode ver em Silva Leme (e em Pedro Taques),[8] é outra indicação de que a vida em sociedade, entre nós, fundiu costumes antigos, próprios da sociedade patriarcal, com maneiras importadas sobretudo da França pelos barões do café. As referências de Paulo de Almeida Nogueira sobre suas responsabilidades materiais e afetivas em relação a antigos escravos é uma indicação adicional desse patriarcalismo de origem rural a inviabilizar o desenvolvimento entre nós de uma verdadeira vida privada.

No Brasil, até certo ponto, intimidade e privado (ainda) se confundem. As casas vulneráveis, promíscuas e cheias de frestas, inviabilizavam (e ainda inviabilizam) a intimidade como a concebemos hoje e sobretudo os ritos próprios da vida privada. Mas, Vainfas aparentemente se desinteressa pelo aparecimento das alcovas (e de seus significados inteiramente opostos ao da concepção de privacidade e de privado) nas casas senhoriais das antigas fazendas, que ainda podem ser vistas em diferentes lugares, como no Vale do Paraíba; na concepção de camarinha nas casas rústicas sertanejas (no Maranhão e mesmo aqui em São Paulo); nos quartos escuros, de janelas sempre fechadas, cômodos vedados ao estranho e ao olhar do estranho, onde se tolera apenas a presença do recém-nascido e das pessoas que lhe devem dar assistência e dar assistência à parturiente no período do resguardo. Fora disso, é recinto da intimidade do casal, sendo grave ofensa um mero olhar curioso em direção ao seu interior por parte de um visitante ou hóspede.[9]

O privado, com essa conotação antiquada, oposta à de Ariès, aparecia, também, nas negociações para compra de perdão em casos de crimes de sangue, em que o sangue e os vínculos de sangue eram concebidos como privados, isto é da família.[10] Ainda hoje perduram em diferentes regiões conflitos dessa natureza nas chamadas lutas de famílias, numa interminável sequência de vinganças, o justiçamento privado se sobrepondo à justiça pública.[11] Põe-se, assim, a concepção completamente distinta do privado e do sujeito do privado, que é a família e não o indivíduo, muito longe, portanto das análises que os historiadores europeus têm desenvolvido a respeito da história da vida privada.

O mesmo se pode dizer em relação à vida cotidiana. Vainfas, como os autores que comenta, circunscreve a vida cotidiana aos usos e costumes e ao viver no interior da casa (do quarto e do leito). Claro que nessa perspectiva ele pode considerar indissociáveis vida privada e vida cotidiana, como expressamente declara. Se a vida cotidiana se limita aos aspectos da vida social reduzidos à rotina dos usos e costumes, Vainfas está pensando em algo muito distante da vida cotidiana propriamente dita. Ele está pensando na vida cotidiana em sua acepção de senso comum, adicionalmente limitada pelo seu suposto desenrolar nos espaços mais típicos do privado, como a casa, o quarto, sobretudo o leito, os lugares da intimidade. Nesse sentido vida cotidiana não é um modo de vida, mas algo reduzido aos aspectos repetitivos e rotineiros próprios da vida de todo dia, alheios à história e ao acontecer histórico, sobretudo porque confinados às quatro paredes da habitação. Por aí, pode-se dizer que até mesmo as "sociedades sem história" têm vida cotidiana, porque têm usos e costumes.

Quais são, porém, pergunto eu, os momentos cotidianos da vida? Onde? No público e no privado. Em casa, mas também na rua e no local de trabalho: nos lugares em que o homem está desencontrado em relação a si mesmo. Na casa, sim, mas na intimidade, não. Não nos momentos do desejo e da festa. A vinculação entre vida privada e vida cotidiana vem do equívoco de confundir num novo objeto, composto e confuso, o que é residual na historiografia tradicional: a longa duração, o que marca tempos e épocas. O cotidiano tende a ser confundido com o banal, com o indefinido, com o que não tem qualidade própria, que não se define a si mesmo como momento histórico qualitativamente único e diferente. E também com o doméstico e o íntimo, com o rotineiro e sem história. O cotidiano aparece, portanto, como uma excrescência da História. No entanto, os historiadores querem capturá-lo, fazê-lo objeto de História, para isso, no fundo, destituindo-o de sua historicidade.

Vainfas questiona se é lícito supor a universalidade da vida privada. E diz que muitos se fizeram o mesmo questionamento "em relação ao conceito de cotidiano ou de vida cotidiana". Ele próprio, aparentemente, não vê dificuldade para estender a concepção de cotidiano a outros tempos e outras sociedades, como a nossa, que não aqueles (e aquelas) em que surgiu a vida cotidiana e a consciência da vida cotidiana enquanto novo modo de viver e de ver a vida. Além disso, ele não vê "razões teóricas muito nítidas para a rejeição do conceito de vida cotidiana, nem muito menos para reduzi-lo a uma condição epistemologicamente inferior ao de vida privada. Se ambos são passíveis, na verdade, de um questionamento acerca de sua *a-historicidade* (como vários aliás fizeram) o conceito de cotidiano tem ao menos a vantagem de referir-se ao tempo, dimensão histórica por excelência, e particularmente ao tempo longo, tempo das estruturas" *(sic)*.[12]

Aqui o autor reduz o problema da vida cotidiana e o da vida privada a uma peleja de conceitos, como se uma e outra não tivessem legalidades próprias e dependessem exclusivamente da disposição do historiador para usar cada um deles. A suposta a-historicidade do conceito de vida cotidiana já é uma boa indicação do largo equívoco que, em relação ao tema, permeia o texto. Aparentemente, o autor despreza o fato de que a concepção sociológica de vida cotidiana nasce no corpo teórico do que ele chama, inadequadamente, de sociologia histórica de Henri Lefebvre. Ora, para Lefebvre, a *noção* (e não o *conceito*)[13] de cotidiano só tem consistência se se leva em conta as contradições do processo histórico, o cotidiano como contraponto (e alienação) da História. O cotidiano não tem sentido divorciado do processo histórico que o reproduz. A concepção de Lefebvre, de que não há *reprodução* sem uma certa *produção* de relações sociais,[14] não há cotidiano sem história, é essencial para discutir-se o tema.

Para Vainfas, Lefebvre teria condenado, em "sua sociologia histórica", "a validez de um conceito de cotidiano aplicado a sociedades pré-industriais, considerando que só a complexidade do mundo capitalista permite fracionar o tempo, separar um tempo geral, cronológico, histórico, de um tempo diário e cotidiano." Há aí uma enorme simplificação das formulações teóricas de Lefebvre sobre a vida cotidiana. Na verdade, Lefebvre distingue o tempo natural e cósmico (e não o tempo geral, cronológico, histórico) do tempo linear, quantitativo e cotidiano. É uma pena que esse autor fundamental, de mais de setenta obras, a maior parte das quais direta ou complementarmente relativas ao desenvolvimento de uma teoria da sociedade moderna enquanto sociedade mediada pela cotidianidade (e não só pela vida cotidiana), tenha comparecido às reflexões de Vainfas através de um texto que não tem grande sentido a não ser como parte de uma reflexão teórica de conjunto. Aliás, tudo indica que Lefebvre chegou a considerar a possibilidade de que seu pequeno livro *A Vida Cotidiana no Mundo Moderno*,[15] em que Vainfas se baseia, viesse a constituir o tomo terceiro de sua fundamental e indispensável *Crítica da Vida Cotidiana*.[16] Aparentemente, deu-se conta, porém, de que os dois volumes já publicados dessa obra reclamavam um terceiro tomo elaborado em linha diversa, o que veio a fazer alguns anos antes de sua morte. Mais uma razão, portanto, para uma atitude de cautela não só em relação à leitura que Vainfas faz de Lefebvre, mas também em relação ao lugar dessa obra no conjunto da obra de Lefebvre.

Em Lefebvre há dois momentos para demarcar o cotidiano. De um lado, o cotidiano como contraponto da festa, esta como momento do tempo cósmico do processo social. De outro lado, o cotidiano como tempo linear, privado do ritmo natural e cósmico; o tempo (e as relações sociais) reduzido à sua linearidade quantitativa, capturado pela lógica da acumulação e da mensuração – o tempo determinado pela mediação do valor de troca das mercadorias e do trabalho mercantilizado. O tempo quantitativo da troca, da acumulação e do consumo, em conflito com o tempo qualitativo do uso. O tempo do homem subjugado pela coisa, tempo em conflito com o tempo do homem que subjuga a coisa. Por isso, o cotidiano se transfigura na gestação da cotidianidade. Neste novo momento, a vida cotidiana se torna um modo de viver sem estilo. É o tempo do homem sem qualidade, mergulhado numa historicidade nova, tempo do homem desencontrado consigo mesmo, que se torna produto de seu produto, transfigurado de sujeito em objeto, em contradição com as características próprias da vida privada, que é determinada pelo tempo do sujeito. Momento em que aquilo que faz não é necessariamente aquilo que pensa estar fazendo.

Na cotidianidade, e não na vida cotidiana, há um alargamento do imaginário em detrimento da imaginação. A vida se torna um modo de vida marcado por uma sociabilidade teatral, pela representação (por fazer presente o ausente[17]), pela fabulação. Mas, se o imaginário submetido e manipulado pelas instâncias de poder se alarga em relação à imaginação, criadora e revolucionária, esta não desaparece. Sobrevive em tensão, como contradição do viver expressa no imediato e, portanto, na própria vida cotidiana. Logo, a vida cotidiana não pode ser pensada como o tempo dos usos e costumes, das invariâncias do tempo longo. Muito ao contrário.

Diversamente do que supõe Vainfas, apenas os autores que não lidam com a dimensão propriamente histórica dos processos sociais é que se limitam ao aparentemente a-histórico. É o que ocorre com as diferentes correntes da sociologia fenomenológica. Por isso, seus autores não se reconhecem como autores de sociologia da vida cotidiana (e não se reconheceriam também como autores de história da vida cotidiana). Para eles toda a realidade é cotidiana, é o vivido, é o ato de construir o sentido dos atos, já que tais atos não derivam seu sentido de uma presumível e dada historicidade. A história é pensada, calculada, finita e transitória, momentânea. Ela está mergulhada na subjetividade insegura e incerta, uma subjetividade constituída e dominada pela mediação do outro sem rosto e sem identidade. Para esses autores, no limite, o destino e a História perdem sentido na vida cotidiana, pois com ela abre-se o tempo da morte inevitável e certa. Na vida cotidiana não predomina o longo tempo; predomina o momento, o instante, o presente. A concepção fenomenológica e a-historicista de vida cotidiana é uma concepção trágica,[18] abertamente em conflito com as concepções dramáticas fundadas na dialética, como a de Lefebvre.

A relação entre vida cotidiana e vida privada é sugerida pela historiografia engajada na história da vida privada. Vainfas assinala: "Parece-me, pois, que vida cotidiana e vida privada não são, de fato, conceitos intercambiáveis e devem ser, em certa medida diferençados. Cotidiano é conceito que diz respeito ao tempo, sobretudo ao tempo longo, seja no plano da vida material, seja no plano das mentalidades ou da cultura, embora possa ser operacionalizado na dimensão restrita de uma cidade, uma região, um segmento social, um grupo socioprofissional. Mas é conceito mais passível de ligar-se às estruturas e ao social global, como indica aliás parte da historiografia que o adota. Vida privada é conceito mais explicitamente ligado à domesticidade, à familiaridade ou a espaços restritos que podem emular a privacidade análoga à que se atribuiu à família a partir do século XIX. Não vejo, porém, razão para pensá-los como necessariamente excludentes, uma vez que a dimensão da familiaridade ou da intimidade pode ou deve ser perfeitamente percebida na cotidianidade *(sic)...*"[19]

Vainfas supõe que o cotidiano é o estrutural porque é o repetitivo do tempo longo. Não distingue o privado que se constitui como dimensão do modo burguês de vida. Nesse sentido, o privado está contraposto ao público, expressamente na dimensão da oposição entre interesse privado e interesse público, espaço privado em oposição ao espaço público, espaço de liberdade do indivíduo e espaço de intervenção e controle do Estado. Há uma racionalidade presente no desenvolvimento da concepção de privado, que se materializa num modo de vida privado. A autobiografia de Benjamin Franklin,[20] que Max Weber utiliza como documento da racionalidade própria da sociedade capitalista,[21] é bem indicativa dessa dimensão consciente e calculada do privado. É aguda a consciência de Franklin em relação àquilo de sua vida pessoal que deve ter visibilidade para os estranhos. Sua subjetividade é dominada pelas significações objetivas, racionais e racionalizantes.

Nesse sentido, o privado está muito longe do cotidiano, este constituído pela subjetividade vacilante, incerta, insegura, obrigada a construir o significado da ação no próprio ato de agir, no jogo de revelações e ocultações que permeia o relacionamento com o outro nas microrrelações sociais.[22] Lembro que na Inglaterra, país em que vivi por duas vezes e país por excelência da vida privada, não é raro encontrar em espaços públicos pequenas placas que indicam a cada momento o que é espaço público e espaço privado. Aviso do homem privado ao homem cotidiano informando que ao passante cotidiano é vedado o território do privado. Isto é, o cotidiano está na rua e não fundamentalmente na casa. A distinção entre público e privado está na memória de cada cidadão. Em primeiro lugar, porque há ali o cidadão, o sujeito que personifica o privado contra as pretensões e voracidades do público e do Estado. Em segundo lugar porque para ser personificação do privado, o cidadão deve ser depositário da memória do conflito em que se gestou sua privacidade, memória do conflito orientado para privá-lo dos privilégios do direito costumeiro, origem de sua busca de vida privada.

Não temos nada disso em nossa sociedade. Aqui, o cidadão é uma ficção do Estado. Nem mesmo é uma ficção do político, que constantemente conspira para fazer do "cidadão" um cliente de seu populismo e de seu clientelismo, construindo assim um território que é o território em que não se distinguem o público e o privado.[23] Por isso, também, fica difícil pensar entre nós a vida cotidiana. Em ambos os casos, uma boa etnografia da consciência ingênua e dos elementos mais sólidos da cultura popular nos mostraria uma grande coleção de valores e costumes totalmente opostos tanto ao privado quanto ao cotidiano. Assim como o território do privado é entre nós um território capturado pelo público, também a vida cotidiana é mero conjunto de fragmentos do que seria propriamente a vida cotidiana, fluindo invasivamente entre "mundos" não cotidianos, demarcados por estilos cognitivos próprios e não cotidianos, como o sonho, a fantasia, a religião, a crendice, o jogo, o carnaval.[24]

A nossa rotina de vida é feita de sobressaltos, do vai e vem do cotidiano ao não cotidiano, ao mágico, ao religioso. É um cotidiano inconstituído, apenas evidenciado na realidade vivida da imensa maioria da população. Como, então, buscar investigativamente o privado e o cotidiano na história da sociedade brasileira, sem dialogar com a sociologia e, sobretudo, sem dialogar com a etnografia das crenças e costumes do povo? Uma historiografia limitada a documentos escritos numa sociedade de iletrados encontra-se ela mesma num impasse, impasse que torna ilícita a tentativa de afrancesar a nossa perspectiva histórica, expressão aliás de nossa alienação intelectual e de nossa desmemória.

Ora, a concepção de cotidiano que ganhou consistência sociológica diz respeito ao irracional, ao absurdo, ao contrário da lógica que sustenta o privado. A dramaturgia social de Goffmann é bem indicativa do enorme e complicado jogo cotidiano para assegurar a colagem de ação e intenção, para evitar que a ação ganhe uma dinâmica diversa da suposta na intenção. O próprio Weber já havia situado marginalmente o cotidiano em relação ao racional, ao que tem sentido meramente objetivo em relação à ação cujo sentido objetivo é também subjetivo, pois o cotidiano está no limite da compreensão racional e objetiva.[25]

Vida privada e vida cotidiana não são conceitos. São na verdade processos distintos que ganham especificidade a partir de orientações metodológicas e teóricas específicas. Nesse sentido, o que destaca a legitimidade da concepção de privado nega ao mesmo tempo a legitimidade teórica da concepção de cotidiano. O que está em jogo não é a opção do historiador, mas a legitimidade histórica de sua perspectiva. Ou, dizendo de outro modo, na opção que faz entre um "conceito" e outro o que se expressa é, na verdade, a natureza de sua identificação com a consciência social de sua época. Para a burguesia (e sua consciência privada) o cotidiano é irrelevante. Para os que se inquietam com os bloqueios das promessas da História, da redenção do Homem, da constituição da universalidade do homem, o cotidiano é relevante, pois é fonte desse bloqueio e lugar da busca das possibilidades da História. Não por acaso, o possível, isto é, o propriamente histórico, aparece como residual, como não capturado pelo repetitivo. A cotidianidade não é, nem pode ser, vaga substantivação de um adjetivo da moda, como se põe no texto de Vainfas. Ela é substantivamente a consciência do lugar das contradições na era do cotidiano. Ela é o momento da história que parece dominado pelo repetitivo e pelo que não tem sentido.

Não obstante considerar que os conceitos de vida privada e de vida cotidiana não são intercambiáveis, Vainfas ressalva: "Não vejo, porém, razão para pensá-los como necessariamente excludentes, uma vez que a dimensão da familiaridade ou da intimidade pode ou deve ser perfeitamente percebida na cotidianidade...". Desse modo, o cotidiano fica reduzido ao lugar do perceber o que é íntimo ou familiar. Ele usa impropriamente a concepção de cotidianidade, pois não se dá conta de que cotidianidade é a era dominada pelo cotidiano e pela cotidianização da vida. Isto é, pela fragmentação da consciência, pela manipulabilidade da consciência que não captura sua relação com o que Sartre define como processo de totalização em curso, na totalidade que lhe dá sentido.[26] A cotidianidade é, justamente, o tempo em que o íntimo e o familiar são invadidos por essa dilaceração, pela percepção falseada, deformada, mutilada. O íntimo e familiar está invadido pelo público, pela manipulação da percepção: a televisão, o rádio, o telefone, a internet, portanto, pelo adverso, pelo seu oposto. Essa invasão é um dos terrores mais presentes nos sonhos da população da metrópole, como pude observar em pesquisa recente, analisada e comentada no capítulo anterior.

Justamente, como assinalei antes, uma das conclusões do texto de Vainfas é a de que não há razão para pensar como excludentes os conceitos de vida cotidiana e de vida privada: "...não deixa de ser no mínimo intrigante, na realidade, o fato de cotidiano e vida privada serem hoje conceitos tão próximos na linguagem de muitos historiadores (...) do que resulta ora uma associação, ora uma distinção, quando não oposição, entre as duas noções". Ora, está aí a principal dificuldade representada por esse tratamento do tema. Porque se trata de conceitos, seu uso fica ao arbítrio do pesquisador. Portanto, conceitos que perderam a dimensão de noções e se tornaram meros rótulos, vazios e, no texto, descontextualizados. Perdem, portanto, no texto do historiador sua historicidade, reduzidos à condição de peças ocas de um jogo de palavras. Essa é, aliás, uma das expressões da cotidianidade – o próprio conceito de vida cotidiana é destituído de suas tensões históricas e de suas relações vitais para entrar no jogo sem sentido dos rótulos e designações *ad-hoc*, do imediato e do não histórico. O conceito desdiz o que ele próprio é. O conceito se torna instrumento do inconceitual, porque sem sentido e sem sentido porque sem vida. Vainfas não discute o vivido, que é o que dá vida ao conceito, sobretudo quando se fala em vida cotidiana. É nas tensões do vivido que tem lugar o encontro/desencontro da vida cotidiana com a vida privada, e da vida cotidiana com a História.

## Notas

* Publicado nos ***Anais do Museu Paulista***, v. 4, Nova Série, São Paulo, janeiro-dezembro 1996, pp. 49-58. A Resposta de Ronaldo Vainfas a este comentário e a comentários de outros autores ao seu texto encontra-se na mesma revista, pp. 105-122.

1 Cf. Ronaldo Vainfas, "História da vida privada: dilemas, paradigmas, escalas", loc. cit., pp. 9-27.

2 Cf. Philippe Ariès, "Per una storia della vita privata", *in* Philippe Ariès e Georges Duby (orgs), ***La Vita Privata dal Rinascimento all'Illuminismo***, Editori Laterza, Roma-Bari, 1988, pp. v-xviii.

3 A inconsistência do que é entre nós vida privada aparece de certo modo na trajetória da palavra "privada" como designação da instalação sanitária. Aparentemente, foi com a chegada das empresas inglesas no século XIX que a palavra passou a ser utilizada como substantivo para designar o local das necessidades fisiológicas, com a mais expressiva palavra que um inglês pode usar para erguer uma barreira de proteção de sua pessoa contra a invasão do outro: "private". O que é compreensível numa sociedade, como a nossa, em que o íntimo se circunscrevia aos espaços da mulher, vedado, portanto, à intromissão do estranho. Ainda no período recente, fazendo pesquisa na região amazônica, conheci a cultura do banho coletivo de rio, todo fim de tarde, homens separados visualmente de mulheres, em locais demarcados ou separados por horários convencionados. Uma colega, antropóloga, contou-me que não é incomum mulheres defecarem juntas no mato, enquanto conversam. Um convite que recebeu de uma moça do povoado onde estava pesquisando foi este: "Vam'bora cagá junto?" A mais antiga designação que conheço é do século XVIII e a encontrei em documentos do arquivo do Mosteiro de São Bento, de São Paulo, quando os monges mandam fazer no interior da casa-grande de sua Fazenda de São Caetano as respectivas *casas-necessárias*. Mesma ocasião, aliás, da construção de um banheiro fechado, fora da casa, aproveitando uma queda d'água junto ao ribeirão dos Meninos, em que até mesmo os enfermos podiam tomar comodamente seu banho, em água corrente. Recentemente, durante um seminário sobre o artigo de Ariès "Por uma história da vida privada", perguntei a meus alunos se em suas casas "há banheiro, sanitário ou privada". Todos responderam que em suas casas há banheiros, na escola há sanitários e privada é a bacia sanitária em que são feitas as necessidades fisiológicas. Ou seja, a privada sai do âmbito do privado para ser considerada unicamente um instrumento de uso cotidiano.

[4] Cf. Maria Paes de Barros, ***No Tempo de Dantes***, Paz e Terra, São Paulo, 1998.

[5] Cf. Paulo de Almeida Nogueira, ***Minha Vida*** *(Diário de 1893 a 1951)*, Empresa Gráfica da "Revista dos Tribunais" Ltda., São Paulo, 1955.

[6] Não é demais lembrar, nesse sentido, a história pessoal de Dona Veridiana da Silva Prado, de uma família de barões e grandes fazendeiros de café. Separada do marido e primo, levou sua vida com grande recato e compostura. Mas, adotou um estilo europeu de vida em seu palacete da av. Higienópolis, em São Paulo, esquina da rua que leva hoje o seu nome. Costumava sair a passeio em uma sege dirigida por seu cocheiro, o que segundo a mentalidade da época queria dizer mulher desacompanhada tendo por companhia um subalterno. Foi, por isso, objeto de discriminação e hostilidade por parte das mulheres paulistanas de sua classe. Teria deixado contra elas, por isso, uma vingança que estaria perdurando até hoje. Legou sua casa a um clube masculino, que ainda existe, em cujo interior é proibida a entrada de mulheres. Ao menos é isso que diz a lenda, só parcialmente confirmada pela documentação. O imaginário da população tratou de juntar um fato histórico, os passeios de Dona Veridiana, com a atualidade e a realidade de que em seu antigo palacete funciona hoje um clube privativo de homens, no estilo dos clubes ingleses, um modo singular de alargar a vida privada para fora de casa, sem situar-se no âmbito do propriamente público.

[7] Cf. Maria Paes de Barros, ob. cit., pp. 112-116.

[8] Cf. Luiz Gonzaga da Silva Leme, ***Genealogia Paulistana***, 9 volumes, Duprat & Comp., S. Paulo, 1903-1905. Cf., também, Pedro Taques de Almeida Paes Leme, ***Nobiliarquia Paulistana Histórica e Genealógica***, 3 tomos, Editora Itatiaia/Editora da Universidade de São Paulo, Belo Horizonte, 1980.

[9] A intimidade tinha exceções. A Princesa Isabel pariu seus filhos literalmente em público. No momento do parto, eram abertas as portas de seu quarto para uma antessala onde se encontrava o corpo diplomático para que testemunhasse a legitimidade do nascituro. Era o modo de evitar a eventual fraude política de que a criança de legítimo nascimento real viesse a ser trocada por outra sem essa qualidade. Garantia-se, nesse testemunho, não só a ordem na sucessão, mas também a sua legitimidade.

[10] "D. Mécia Fernandes, a grande, faleceu em São Paulo, em 1625, com testamento em que declarou os seus ascendentes, e o fato de ser irmã de Marcos Fernandes, assassinado por um Antônio Fernandes Atá, ao qual ela deu perdão, por escritura de 1º. de janeiro de 1612." Cf. Manuel Eufrásio de Azevedo Marques, ***Apontamentos Históricos, Geográficos, Biográficos, Estatísticos e Noticiosos da Província de São Paulo***, tomo II, Livraria Martins Editora S.A., São Paulo, 1952, p. 225 [1. ed. 1879].

[11] Cf. Luiz de Aguiar Costa Pinto, ***Lutas de Famílias no Brasil***, 2. ed., Cia. Editora Nacional, São Paulo, 1980.

[12] Cf. Ronaldo Vainfas, loc. cit., p. 14.

[13] Cf. Henri Lefebvre, "La notion de totalité dans les sciences sociales", *in* ***Cahiers Internationaux de Sociologie***, v. XVIII, Presses Universitaires de France, Paris, jan.-juin., 1955. O *conceito* é concepção *fechada*, referida a estruturas conceituais. A *noção* é concepção *aberta*, não classificatória, referida aos momentos e ao fato de que o objeto da sociologia (e da história) é o processo histórico e social, aberto sobre o possível e, portanto, sobre o inclassificável.

[14] Cf. Henri Lefebvre, ***La Survie du Capitalisme***, cit., p. 14.

[15] Cf. Henri Lefebvre, ***A Vida Cotidiana no Mundo Moderno***, cit.

[16] Cf. Henri Lefebvre, ***Critique de la Vie Quotidienne***, III *[De la modernité au modernisme (Pour une métaphilosophie du quotidien)]*, Paris, L 'Arche Éditeur, 1981.

[17] Henri Lefebvre, ***La Présence et l'Absence*** *(Contribution à la théorie des représentations)*, Paris, Casterman, 1980.

[18] Cf. Michel Maffesoli, ***O Conhecimento Comum***, cit.

[19] Cf. Ronaldo Vainfas, loc. cit., p. 14.

[20] Cf. Benjamin Franklin, ***Autobiografia***, cit.

[21] Cf. Max Weber, ***A Ética Protestante e o Espírito do Capitalismo***, cit.

[22] Cf. Erving Goffman, ***La Presentación de la Persona en la Vida Cotidiana***, cit.

[23] Cf. José de Souza Martins, ***O Poder do Atrás***, cit.

[24] Cf. Alfred Schutz, ***El Problema de la Realidad Social***, cit.

[25] Cf. Max Weber, ***Economia y Sociedad*** *(Esbozo de sociología comprensiva)*, tomo I, trad. José Medina Echavarría *et alii*, Fondo de Cultura Económica, México-Buenos Aires, 1964, cap. I.

[26] Cf. Jean-Paul Sartre, ***Critica de la Razon Dialectica***, Libro I, trad. Manuel Lamana, Editorial Losada S.A., Buenos Aires, 1970, *passim.*

# Excurso: as temporalidades da História na dialética de Henri Lefebvre*

"[...] a dificuldade consiste em que é preciso mostrar que os fragmentos não se dispersam e não se isolam, mas convergem num projeto de transformação do mundo. Este projeto se liga a um trabalho sobre o pensamento de Marx, trabalho que de um lado busca restituir esse pensamento à sua integralidade e que de outro lado busca prolongá-lo e desenvolvê-lo em função do que há de novo depois de um século no mundo moderno."

**Carta de Henri Lefebvre a José de Souza Martins (28.11.1977).**

## O retorno a Marx

Nas palavras em epígrafe, em carta ao autor, Lefebvre sintetiza o projeto que unifica sua extensa obra, de mais de 70 volumes: o retorno a Marx, o retorno à dialética. Mas, um retorno crítico, isto é, retorno a um Marx datado, situado no tempo e na História. O Marx de uma obra inacabada, por isso mesmo cheia de preciosos fios desatados, que era e é preciso retomar.

Esse retorno difere, portanto, da concepção corrente de "ir a Marx", que pressupõe um Marx acabado, concluído – um sistema, como diz Lefebvre. Um poderio, um instrumento de poder, ele poderia ter dito.

Lefebvre tem presente, e recusa, um Marx falsamente acabado, postiçamente concluído, fetichizado. Na verdade, capturado pelo poder, na necessidade de apresentá-lo como inventor de um sistema – um Marx marxista, adepto e justificador do marxismo oficial, do marxismo de Estado. Mas, não marxiano. Isto é, não a um Marx de sua própria época, que, além de pensar, de produzir ideias, vivia, se envolvia numa prática de transformação da sociedade, ao mesmo tempo envolvido pelos processos de reprodução dessa mesma sociedade.[1]

Lefebvre no fundo, retorna ao residual desse Marx, ao irredutível de sua pessoa e de seu tempo. A um Marx da História, personagem, pensador, homem de luta, de incertezas e não de certezas. E não a um Marx acima da História, supra-histórico. O Marx que Lefebvre encontra em sua minuciosa busca é um Marx mortal, como qualquer um de nós.[2]

Esse Marx humano está no centro do retorno e no centro das indagações de Lefebvre. É um Marx inconcluso, que não se pôs a tarefa de pensar sozinho as rupturas da História e a transformação do mundo no sentido do avanço da universalidade do homem, liberto dos poderios que o constrangem e anulam. Não é um Marx messiânico, embora seja um Marx utópico e profético. Diferente dos monumentos do marxismo oficial, esse Marx era mortal porque não tinha poder. Nesse Marx, Lefebvre encontra o homem que começou a construir e sintetizar as indagações historicamente fundamentais de seu tempo, as perguntas não respondidas e as questões não resolvidas da época que com ele se inicia.

Lefebvre não retorna, simplesmente, aos conceitos de Marx, ao que indevidamente se chama de conceitos em Marx. Mas, à relação entre um modo de pensar e uma prática, isto é, a um projeto na práxis que define o trajeto de uma vida. O método dialético está no centro desse retorno. Mas, o método que foi se definindo ao longo da obra de Marx, que combina os momentos do método de investigação e do método de explicação; e que culmina com a análise inacabada sobre as classes sociais, isto é, sobre a primeira tríade: trabalho, terra e capital, ou seja, salário, renda e lucro. O pensamento de Marx não era binário, como o fez mais tarde o marxismo vulgar, e sim triádico.[3]

Engels se refere aos intuitos pedagógicos de algumas reduções e simplificações na sua obra com Marx. Cita as consequências interpretativas, sobretudo no que se refere ao tempo histórico e ao ritmo da história. Num dos primeiros trabalhos, mais de cientista do que de militante, também Lênin teve que explicar que sua concepção da História e das transformações sociais não seguia o curso linear e evolucionista que lhe imputavam seus leitores.

No núcleo dessas preocupações está a questão central da constituição da humanidade do homem, na relação entre o homem e a natureza. Mas, Lefebvre não encontra, cem anos depois de Marx, o homem saciado em suas necessidades, embora encontre as forças produtivas desenvolvidas além do real e do imediato. Nesse desencontro, entre o real e o possível, uma nova pobreza, completamente diversa da pobreza daqueles tempos, que se definia por carências materiais imediatas, mais do que por outras carências. A natureza mediadora da constituição do humano também foi capturada: hoje está posto o problema da natureza segunda,[4] criada pelo próprio homem, voltada contra ele – uma natureza que não se humaniza nem liberta o homem de limitações e reduções.

## A noção de formação econômico-social

No retorno a Marx, o retorno ao núcleo explicativo do processo histórico: a relação entre o homem e a natureza; o homem que, na atividade por meio da qual atua sobre a natureza para saciar-se, para atender suas necessidades, modifica a natureza e modifica suas próprias condições de vida, modificando ao mesmo tempo sua relação com a natureza. Deixando, portanto, de ser repetitivo e reativo. Desafiado a imaginar e criar, modificando suas condições de vida e modificando-se ao mesmo tempo, constituindo-se como humano, humanizando-se. Lefebvre descobriu que essa tese de *A Ideologia Alemã* ganha consistência numa noção mal formulada, na obra de Marx: a de formação econômico-social.[5] Trata-se de uma ideia que aparece ocasionalmente na obra marxiana, apenas indicada, para dar conta da sedimentação dos momentos da história humana, da história da constituição da humanidade do homem, da história da práxis. Essa noção já carrega consigo, na descoberta de Lefebvre, o intuito de datação das relações sociais, a indicação de que as relações sociais não são uniformes nem têm a mesma idade. Na realidade coexistem relações sociais que têm datas diferentes e que estão, portanto, numa relação de descompasso e desencontro. Nem todas as relações sociais têm a mesma origem. Todas sobrevivem de diferentes momentos e circunstâncias históricas.

Essa noção, num primeiro momento, era apenas recurso metafórico para apoiar uma concepção interpretativa. Marx utilizou-se seguidamente de metáforas para expressar suas ideias, como constatou o venezuelano Ludovico Silva em excelente trabalho sobre o seu estilo literário.[6] As considerações desse autor podem ser alargadas. Muitas designações metafóricas contidas na obra de Marx foram fetichizadas por seus vulgarizadores e transformadas em conceitos. O mais notório deles, o de modo de produção, é utilizado pelo próprio Marx de modo elástico e, às vezes, impreciso. Quando se trata do modo de produção capitalista, ora refere-se ao processo de trabalho, ora ao processo de valorização, ora tem uma certa conotação antropológica, referindo-se a um modo de fazer, mais no sentido de um procedimento cultural do que no sentido de uma referência estrutural.

O reencontro da noção de formação econômico-social por Lefebvre tem amplas implicações, pois é noção que "tem uma significação profunda e dupla: metodológica e teórica".[7] Ela fora retomada e aprofundada por Lênin em alguns de seus estudos sobre o desenvolvimento do capitalismo, nos anos de sua juventude. Lênin, ao estudar o desenvolvimento do capitalismo na Rússia, não tinha diante de si todo o conjunto das obras de Marx. Não tinha, também, acesso aos textos que viriam a ser publicados nos anos trinta e que foram os esboços para redação do livro fundamental de Marx. O primeiro volume de *O Capital*, porém, trata do *desenvolvimento igual do capitalismo*, como observou Lefebvre. Isso lhe criava dificuldades para expor e explicar a realidade histórica da Rússia atrasada, que combinava relações sociais capitalistas com relações sociais e instituições que ainda não haviam sido profundamente alcançadas pela disseminação e desenvolvimento do capital. Recorreu Lênin à noção de formação econômico-social discretamente presente em alguns trabalhos de Marx. Ela lhe permitia alargar a concepção de capitalismo, além dos limites da noção de modo de produção, abrangendo as relações apoiadas na produção mercantil simples.[8]

A noção de formação econômico-social em Marx e Lênin tem dois âmbitos: ela tanto designa um segmento do processo histórico – a formação econômico-social capitalista – quanto designa o conjunto do processo histórico. Mais do que uma imprecisão, essa duplicidade nos remete ao princípio explicativo de totalidade e, ao mesmo tempo, de unidade do diverso. Muitos vulgarizadores da obra de Marx entenderam que o diverso dessa unidade é apenas o diferente e que os termos da contradição, portanto, são contemporâneos. No exame da gênese e do percurso da noção, Lefebvre descobre, porém, que o diverso não é ou não é necessariamente contemporâneo: "A noção de *formação econômico-social* retomada e aprofundada por Lênin engloba a *de desenvolvimento desigual*, como engloba a de sobrevivências na estrutura capitalista de formações e estruturas anteriores".[9] *O Capital*, em particular o primeiro tomo, esconde justamente esse aspecto rico da interpretação marxiana, na medida em que ali o desenvolvimento do capitalismo aparece como se fosse um desenvolvimento igual, isto é, desenvolvimento em que as contradições sociais são analisadas como se as relações que delas decorrem fossem relações de mesma data e, portanto, contemporâneas.

Porém, a lei da formação econômico-social é a *lei do desenvolvimento desigual*: "Ela significa que as forças produtivas, as relações sociais, as superestruturas (políticas, culturais) não avançam igualmente, simultaneamente, no mesmo ritmo histórico".[10] Essa ideia, porém, já estava claramente presente na obra de Marx e é certamente um dos aspectos menos debatidos e conhecidos de seu trabalho. Nas referências aos países coloniais e às sociedades periféricas à economia inglesa, Marx aponta a mediação que dá sentido ao próprio desenvolvimento político da Inglaterra. Nos estudos sobre a Irlanda, a referência ao liame entre o destino político da aristocracia inglesa e a realidade dos arrendatários irlandeses: "A Irlanda é o baluarte da aristocracia fundiária inglesa. A exploração daquele país não é apenas uma das fontes principais do bem-estar material dessa aristocracia, mas também sua maior força moral. Isso, de fato, representa o domínio da Inglaterra sobre a Irlanda. A Irlanda é pois o principal instrumento da conservação da hegemonia da aristocracia inglesa na própria Inglaterra. (...) O aniquilamento da aristocracia fundiária inglesa é infinitamente mais fácil na Irlanda do que na Inglaterra, porque na Irlanda a questão da terra se tornou a única expressão da questão social, porque ela é uma questão de sobrevivência, de vida e de morte, para a imensa maioria do povo irlandês, e porque ela é ao mesmo tempo inseparável da questão nacional".[11]

Nessa retomada, há também uma certa concepção da relação entre o espacial e o temporal, entre o espaço e a História. A questão do âmbito dos processos sociais, isto é, da sua referência espacial está reiteradamente sugerida na obra de Marx e reaparece densamente na obra de Lefebvre. Se por um lado Marx na redação de sua obra fundamental elegeu Londres como um observatório privilegiado e estratégico, por outro lado reconheceu plenamente a necessidade teórica e interpretativa de desvendar o que nesse posto estratégico se engendrava e ganhava sentido, no desdobramento de seus processos na Irlanda, na Espanha, na Índia, na Rússia, nos Estados Unidos, na América Latina. Um grande equívoco de interpretação fez com que a dimensão espacial e geográfica dos processos históricos considerados por Marx fosse tratada como mero local de disseminação e repetição dos processos sociais característicos, que ganhavam e ganham corpo e visibilidade típica em certos lugares, como os países metropolitanos. Marx tinha que explicar como o mesmo processo de reprodução ampliada do capital assumia formas sociais diversificadas em lugares tão diferentes como a América escravista, a Irlanda e a Rússia camponesas, a Índia de antiga civilização, mas subjugada, com seu sistema de castas integrado na lógica capitalista do lucro e da razão.

Mesmo aí, a lei do desenvolvimento desigual foi interpretada na perspectiva economicista que reduziu a qualidade das contradições que integram e opõem diferentes sociedades a mera gradação de riqueza, na dicotomia insuficiente de desenvolvimento e subdesenvolvimento. Na verdade, "a lei do desenvolvimento desigual tem uma multiplicidade de sentidos e de aplicações".[12] Na interpretação de Lefebvre, "ela significa que as forças produtivas, as relações sociais, as superestruturas (políticas, culturais) não avançam igualmente, simultaneamente, no mesmo ritmo histórico"[13].

Lefebvre entende que a desigualdade dos ritmos do desenvolvimento histórico decorre do desencontro que na práxis faz do homem produtor de sua própria história e, ao mesmo tempo, o divorcia dela, não o torna senhor daquilo que faz. Sua obra ganha vida própria, torna-se objeto e objetivação que subjuga em renovada sujeição o seu sujeito. A formação é econômica e social porque abrange simultaneamente esses dois âmbitos da práxis: a natureza (o econômico) e a sociedade (o social). O homem age sobre a natureza na atividade social de atender suas necessidades. Constrói relações sociais e concepções, ideias, interpretações, que dão sentido àquilo que faz e àquilo de que carece. Reproduz, mas também produz, isto é, modifica, revoluciona, a sociedade, base de sua atuação sobre a natureza, inclusive sua própria natureza. Ele se modifica, edifica sua humanidade, agindo sobre as condições naturais e sociais da sua existência e, nesse movimento, sobre as condições propriamente econômicas.

Justamente aí o desencontro entre o econômico e o social na sociedade capitalista expressa o avanço do econômico em relação ao social, este atrasado em relação àquele. O econômico anuncia possibilidades que a sociedade não realiza ou realiza com atraso. Marx já indicara como contradição fundamental da sociedade capitalista a contradição entre a produção social e a apropriação privada dos resultados da produção. O modo de produzir a riqueza e as condições de vida do homem, com o capitalismo, se organiza em bases sociais avançadas, isto é, segundo um modo de viver e de ser, segundo uma sociabilidade que implica em que cada homem se reconheça no outro, agente e mediação da humanização de todos. O fato de que a humanidade do homem se objetive nas realidades que ele cria e que ele se crie na mediação de tais objetivações abre um abismo entre ele e sua obra, condição da demora entre a criação da possibilidade da sua humanização crescente e essa mesma humanização. A pobreza, nesta reinterpretação de Lefebvre, ganha um significado bem diverso da concepção limitada de pobreza material que era característica da época de Marx. A pobreza é pobreza de realização das possibilidades criadas pelo próprio homem para sua libertação das carências que o colocam aquém do possível. Numa sociedade e num tempo de abundâncias possíveis, inclusive e especialmente abundância de tempo para desfrute das condições de humanização do homem, em que a necessidade de tempo de trabalho é imensamente menor do que era há um século, uma das grandes pobrezas é a pobreza de tempo.

A noção de formação econômico-social é retomada por Lefebvre no preciso sentido da coexistência dos tempos históricos. E também no sentido de que nessa coexistência se encerra não o passado e o presente, mas também o futuro, o possível.[14] Quais são as raízes estruturais dessa coexistência? O atraso do real em relação ao possível, o social em relação ao econômico. A própria exploração do trabalho, do homem pelo homem, se incumbe de sonegar ao homem, a todo homem, inclusive ao que explora, as condições materiais de seu desenvolvimento. Elas existem, mas desviadas da destinação de fazer do homem objetivo do próprio homem, empregadas com outras finalidades que não o próprio homem. A coisificação das relações sociais promove a alienação do homem em relação à sua obra, faz com que apareça como coisa e objeto, e não sujeito, de sua própria obra. Na alteridade das relações sociais, o outro que ele é entra como objeto e não como objetivo.[15] Num de seus estudos mais interessantes, sobre o cibernantropo, Lefebvre mostra que as imensas possibilidades tecnológicas e científicas do nosso tempo chegam à vida cotidiana das pessoas como chuvas residuais daquilo que foi prioritariamente destinado à constituição e alimentação dos sistemas de poder e não ao próprio homem.[16]

## O método regressivo-progressivo

As implicações metodológicas do reencontro em Marx da noção de formação econômico-social estão expostas em dois artigos que Lefebvre publicou nos *Cahiers Internationaux de Sociologie*, em 1949 e 1953.[17] Sartre, com quem Lefebvre polemizou durante boa parte de sua vida, reconheceu com precisão a importância de sua interpretação sobre o método: "...foi um marxista, Henri Lefebvre, quem deu um método que no meu modo de ver é simples e irrepreensível para integrar a sociologia e a história na perspectiva dialética materialista. (...) Nada temos a acrescentar a este texto tão claro e tão rico...".[18]

Nesses dois pequenos textos, Lefebvre começa pelo reconhecimento de uma dupla complexidade da realidade social: horizontal e vertical. Em sua obra, essa dupla complexidade se manifesta com mais vigor na eleição do mundo rural como referência inicial mais rica nas implicações metodológicas, pois é o que encerra maior diversidade e maior tensão de tempos históricos e de relações sociais datadas. Não é por isso surpreendente que, filósofo, Lefebvre tenha justamente elaborado uma tese de doutorado em sociologia rural.[19] E que nela tenha feito a reconstituição de mil anos da história de uma aldeia dos Pireneus franceses para nela reencontrar persistências revolucionárias e o sentido de confrontos políticos centenários, concepções da vida e da História apoiadas em extensões de tempo que não seriam identificadas a partir de procedimentos decorrentes da ideia de etapas e sucessões de etapas históricas.

Essa dupla complexidade desdobra-se em procedimentos metodológicos que identificam e recuperam temporalidades desencontradas e coexistentes. A complexidade horizontal da vida social pode e deve ser reconhecida na descrição do visível. Cabe ao pesquisador reconstituir, a partir de um olhar teoricamente informado, a diversidade das relações sociais, identificando e descrevendo o que vê. Esse é o momento descritivo do método. Nele, o tempo de cada relação social ainda não está identificado. O pesquisador procede mais como narrador que expõe e ordena os dados de sua pesquisa. O segundo momento é analítico-regressivo. Por meio dele mergulhamos na complexidade vertical da vida social, a da coexistência de relações sociais que tem datas desiguais. Nele, a realidade é analisada, decomposta. É quando o pesquisador deve fazer um esforço para datála exatamente. Cada relação social tem sua idade e sua data, cada elemento da cultura material e espiritual também tem sua data. O que no primeiro momento parecia simultâneo e contemporâneo é descoberto agora como remanescente de época específica. De modo que no vivido se faz de fato a combinação prática de coisas, relações e concepções que de fato não são contemporâneas. Nesse momento, fica evidente a importância do domínio das disciplinas especiais – a sociologia, a antropologia, a história, a economia, a geografia, a estatística, etc. Sem as quais a reconstituição feita permaneceria indefinida porque referida ao pressuposto da homogeneidade do tempo de data única, aprisionada pela impossibilidade de datação de seus diferentes componentes.

O terceiro momento do método da dialética de Lefebvre é histórico-genético. Nele, deve o pesquisador procurar o reencontro do presente, "mas elucidado, compreendido, explicado". A volta à superfície fenomênica da realidade social elucida o percebido pelo concebido teoricamente e define as condições e possibilidades do vivido. Nesse momento regressivo-progressivo é possível descobrir que as contradições sociais são históricas e não se reduzem a confrontos de interesses entre diferentes categorias sociais. Ao contrário, na concepção lefebvriana de contradição, os desencontros são também desencontros de tempos e, portanto, de possibilidades. Na descoberta da gênese contraditória de relações e concepções que persistem está a descoberta de contradições não resolvidas, de alternativas não consumadas, necessidades insuficientemente atendidas, virtualidades não realizadas.[20] Na gênese dessas contradições está de fato a gestação de virtualidades e possibilidades que ainda não se cumpriram. Porque é o desencontro das temporalidades dessas relações que faz de uma relação social em oposição a outra a indicação de que um possível está adiante do real e realizado.

Essa dupla complexidade não é exterior ao homem e a cada ser humano. Falas, gestos, entonações, modos de relacionamento, desencontros entre o falado, o percebido e o feito, tudo enfim tem que ser concretamente vivido, ainda que no limiar do percebido. São esses desencontros que dão sentido à práxis, fazendo-a repetitiva, mimética ou, sobretudo, inovadora, no mesmo ato, no mesmo movimento.[21] Por isso, fazer História não está apenas no ato intencional de criar o novo e destruir o velho. Uma História assim é, no fundo, uma História sem tensões, sem vida, falsa História. No vivido, a práxis é contraditória. Ela reproduz relações sociais. Mas, Lefebvre observa, não há reprodução de relações sociais sem uma certa produção de relações,[22] não há repetição sem uma certa inovação. Nessa perspectiva é que a vida cotidiana aparece como a realidade do mesmo e da reiteração e até como negação da história. Justificativa para uma apologia do presente, base de uma sociologia pós-moderna que reduz o acontecer social aos prazeres vivenciais do instante.

No interior da sociedade e no interior de cada um agita-se a efervescência dessa coexistência de modos, mundos, relações, concepções, que não são contemporâneos. O que quer dizer que a contemporaneidade da superfície não corresponde às idades que coexistem e se negam reciprocamente, na recíproca necessidade. É dessa tensão que nasce a possibilidade da práxis revolucionária ou a dimensão revolucionária da práxis. Práxis que se funda no resgate e na unificação política dos resíduos – concepções e relações residuais que não foram capturadas pelo poder, que permaneceram nos subterrâneos da vida social, virtualidades bloqueadas.[23] Alternativas do processo de humanização do homem imobilizadas pelo bloqueio do poder que domina a superfície – o espaço, mas também o percebido, o horizontalizado, uniformizado, racionalizado pelas equivalências que resultam das trocas e do igualitarismo abstrato do contrato social e da razão.

Nos resíduos e no virtual estão as necessidades radicais,[24] necessidades que não podem ser resolvidas sem mudar a sociedade, necessidades insuportáveis, que agem em favor das transformações sociais,[25] que anunciam as possibilidades contidas nas utopias, no tempo que ainda não é, mas pode ser. Para isso é preciso juntar os fragmentos, dar sentido ao residual, descobrir o que ele contém como possibilidade não realizada. Nesse sentido é que ele encerra um projeto de transformação do mundo: "Terminaremos pela decisão fundadora de uma ação, de uma estratégia: a reunião dos 'resíduos', sua coalizão para criar poeticamente na práxis, um universo mais real e mais verdadeiro (mais universal) do que os mundos dos poderios especializados".[26]

## Notas

* Exposição de abertura no *Colóquio sobre "A aventura intelectual de Henri Lefebvre"*, realizado no Departamento de Sociologia da Faculdade de Filosofia, Letras e Ciências Humanas da Universidade de São Paulo em 14 de maio de 1993. Publicado originalmente como capítulo do livro de José de Souza Martins (org.), ***Henri Lefebvre e o Retorno à Dialética***, Editora Hucitec, S. Paulo, 1996, pp. 13-23.

1 Cf. a rica coletânea de textos de Marx e documentos sobre Marx organizada por Eugene Kamenka, ***The Portable Marx***, Penguin Books, Harmondsworth, 1983. O pensador argentino José Aricó chama a atenção para os problemas interpretativos decorrentes do "peso asfixiante da razão 'objetivista' que predominou na perspectiva marxista" e para uma "perspectiva marxiana de questionamento da conversão da sua [de Marx] doutrina em uma ideologia do desenvolvimento das forças produtivas..." Cf. Karl Marx, Nikolai F. Danielsón, Friedrich Engels, ***Correspondência, 1868-1895***, compilación de José Aricó, trad. Juan Behrend *et alii*, Siglo Veinteuno Editores, México, 1981, XIV.

[2] O Marx epistolar nos fala de um homem vitoriano, especialmente nas relações de família, até conservador e intransigente, crítico e ácido em relação a autores que se diziam "marxistas", mas em cujos textos não se reconhecia. Sua morte privou-nos de tê-lo vigilante em relação aos abusos teóricos e políticos cometidos em seu nome. Especialmente, sobre Marx e a família, cf. José de Souza Martins, "As cartas de Marx", *in* Walnice Nogueira Galvão e Nádia Battella Gotlib, ***Prezado Senhor, Prezada Senhora – Estudos sobre Cartas,*** Companhia das Letras, São Paulo, 2000, pp. 313-319.

[3] Cf. Henri Lefebvre, ***Une Pensée Devenue Monde***, Fayard, Paris, 1980, p. 179 e ss.; Henri Lefebvre, ***Hegel, Marx, Nietzsche***, cit., pp. 1-69.

[4] Cf. Henri Lefebvre, ***La Revolución Urbana***, cit., p. 32.

[5] Cf. Henri Lefebvre, ***La Pensée de Lénine***, Paris, Bordas, 1957, p. 207.

[6] Cf. Ludovico Silva, ***El Estilo Literario de Marx***, 4. edición, Siglo Veinteuno Editores, México, 1980, p. 52 e ss.

[7] Cf. Henri Lefebvre, ***La Pensée de Lénine***, cit., p. 208.

[8] Cf. V. Lénine, "A propos de la question dite des marchés", *in* ***Oeuvres***, tome 1, Éditions Sociales/ Éditions du Progrès, Paris/Moscou, 1966; V. Lénine, "Ce que sont les 'Amis du Peuple' et comment ils luttent contre les social-démocrates", *in* ***Oeuvres***, tome 1, cit.; V. I. Lenin, ***El Desarrollo del Capitalismo en Rusia***, trad. José Lain Entralgo, Editorial Ariel, Barcelona, 1974.

[9] Cf. Henri Lefebvre, ***La Pensée de Lénine***, cit., p. 231.

[10] *Ibidem*, p. 248.

[11] Cf. Karl Marx e Friedrich Engels, ***L'Irlanda e la Questione Irlandese***, Edizioni Progress, Mosca, 1975, p. 277.

[12] Cf. Henri Lefebvre, ***La Pensée de Lénine***, cit., p. 247.

[13] *Ibidem*, p. 248.

[14] Cf. Henri Lefebvre, ***Une Pensée Devenue Monde***, cit., p. 32.

[15] Cf. Agnes Heller, ***Sociología de la Vida Cotidiana***, trad. de José-Francisco Inars e Enric Perez Nadal, Ediciones Península, Barcelona, 1977, p. 365.

[16] Cf. Henri Lefebvre, ***Hacia el Cibernantropo***, trad. Serafina Warschaver, Gedisa, Barcelona, 1980, pp. 13-15.

[17] Cf. Henri Lefebvre, "Problèmes de Sociologie Rurale", *in* ***Cahiers Internationaux de Sociologie***, volume VI, Aux Éditions du Seuil, Paris, 1949, p. 78-100; e Henri Lefebvre, "Perspectives de Sociologie Rurale", *in* ***Cahiers Internationaux de Sociologie***, volume XIV, Aux Éditions du Seuil, Paris, 1953, pp. 122-140. Esses dois artigos foram traduzidos e incluídos na coletânea de José de Souza Martins (org.), ***Introdução Crítica à Sociologia Rural***, Editora Hucitec, S. Paulo, 1981.

[18] Cf. Jean-Paul Sartre, ***Crítica de la Razón Dialectica***, cit., pp. 49-50.

[19] Cf. Henri Lefebvre, ***La Vallée de Campan*** *(Étude de Sociologie Rurale)*, Presses Universitaires de France, Paris, 1963.

[20] Cf. Henri Lefebvre, ***Une Pensée Devenue Monde***, cit., p. 101.

[21] Cf. Henri Lefebvre, ***Sociologie de Marx***, cit., esp. pp. 20-48.

[22] Cf. Henri Lefebvre, ***La Survie du Capitalisme***, cit. p. 14.

[23] Cf. Henri Lefebvre, ***La Proclamation de la Commune***, cit., p. 36. "O passado se torna presente em função da realização dos possíveis implicados objetivamente nesse passado.": Cf. Henri Lefebvre, ***Au-dela du Structuralisme***, Éditions Anthropos, Paris, 1971, p. 86.

[24] Cf. Henri Lefebvre, ***La Proclamation de la Commune***, cit, p. 20.

[25] Cf. Agnes Heller, ***La Théorie des Besoins Chez Marx***, cit., p. 107 e ss.

[26] Cf. Henri Lefebvre, ***Métaphilosophie***, cit., p. 18.

# SEGUNDA PARTE

# História e memória*

*(Entrevista a José Antonio Segatto, Luzia Monteiro A. Soares e Roniwalter Jatobá)*

"Inútil fechar os olhos,
há um espinho cravado
na consciência da tarde."
Pedro Tierra, **Poemas do Povo da Noite**.

***Memória*** – *Nos anos cinquenta, mais de 500 mil migrantes nortistas e nordestinos, famílias inteiras, chegavam a São Paulo para construir o grande parque industrial brasileiro. Com raríssimas exceções, estas sagas não foram analisadas, ao contrário das imigrações. Por que?*

**J.S.M.** – Ainda hoje é grande a desinformação sobre os fluxos migratórios internos para São Paulo nos anos cinquenta. A começar pelo fato de que poucos se deram conta de que as grandes correntes migratórias dessa época procediam de Minas Gerais e do Nordeste e não só dessa última região. Quase nada se fala sobre os mineiros que se distribuíram pelos bairros e pelo subúrbio de São Paulo e que tiveram grande importância na revitalização da cultura rural dentro da cidade, raiz e base do florescimento da música sertaneja e da disseminação de concepções e estilos antiurbanos de origem ou inspiração rural. As migrações da década de cinquenta foram, na verdade, complemento e fecho dos deslocamentos internos intensificados nos anos trinta, com a crise do café, procedentes sobretudo do interior de São Paulo, que abasteceram as indústrias, especialmente do ABC, com a mão de obra barata liberada pela diminuição das áreas dedicadas à cafeicultura.

Seguramente são várias as razões pelas quais as migrações internas desse período não despertaram grande interesse nos pesquisadores.[1] Mas, é preciso ter em conta que a própria imigração estrangeira, dominante de 1880 a 1920, também não recebeu uma atenção excepcional, ao contrário do que se supõe e diz. Quase todos ficam muito impressionados com um grande número de textos históricos, sociológicos e antropológicos sobre a imigração italiana, mas não se dão conta de que outros grupos nacionais, também integrados na imigração massiva, como os espanhóis, os portugueses, os japoneses, e, mais modestamente, os alemães, não tiveram sua vinda para o Brasil devidamente estudada. Os espanhóis, que foram o segundo grupo em importância numérica na imigração, vieram para São Paulo às centenas de milhares. Só tiveram o primeiro estudo histórico-sociológico de sua imigração em 1985, quando apresentei uma análise documentada a respeito num seminário realizado na Espanha.[2] Sobre a imigração portuguesa quase nada se fez e o mesmo se pode dizer sobre a maioria das nacionalidades que imigraram para São Paulo naquele período. Portanto, também aí o déficit de pesquisas e estudos é muito grande.

No caso dos migrantes nacionais, no período que você indica, a ausência de estudos históricos talvez se explique porque se trata de fenômeno relativamente recente. E também porque a migração interna não teve a importância histórico-estrutural da imigração estrangeira. Os estrangeiros vieram para substituir escravos e viabilizar relações sociais profundamente novas, que abalavam e subvertiam a sociedade inteira, dos mais ricos aos mais pobres. Todos, do barão de café ao negro pobre, cativo ou não, tiveram sua vida radicalmente alcançada pelas transformações sociais decorrentes da imigração e do fim da escravidão.

Além disso, o interesse ou desinteresse dos estudiosos por essas correntes migratórias está claramente associado ao fato de cada grupo ter ou não ter se interessado pela própria memória. Desde os primeiros grupos de italianos chegados ao Brasil, houve grande empenho em construir a memória desse fenômeno, do desenraizamento e da sua inserção na sociedade de uma terra estrangeira. Jornalistas, missionários e funcionários diplomáticos trataram de documentar o que estava acontecendo com seus compatriotas. Ainda hoje, os descendentes de italianos têm entre nós uma fina sensibilidade para a história da vinda de seus antepassados para o Brasil. Tanto na Itália quanto aqui é possível encontrar arquivos inteiros de documentos, fotografias, memórias, narrativas, cartas de italianos emigrados para o nosso país que documentam minuciosamente muitos aspectos desse movimento migratório e da adaptação do imigrante à nossa sociedade. Isso já não acontece com os portugueses nem com os espanhóis, que praticamente não se interessaram pela história de sua vinda para cá. Há que considerar, também, que a assimilação dos italianos foi mais lenta do que a dos imigrantes dessas outras duas nacionalidades.

Mas, em relação aos migrantes nacionais temos um fenômeno extremamente curioso. As migrações sazonais do Nordeste e de Minas Gerais para São Paulo, nos anos setenta, têm sido detalhadamente acompanhadas, documentadas e estudadas por sociólogos e missionários. Talvez porque, diversamente das migrações dos anos cinquenta, esse novo fluxo não seja adaptativo, mas promotor de uma ampla desagregação social nas áreas de origem e completa e planejada inadaptação nas áreas de destino, geralmente os grandes canaviais na época da safra. Tanto a vinda quanto a volta são acompanhadas por grande tensão e muitos problemas sociais. Aí sim, a consciência social se inquieta. Mesmo assim, o interesse dos estudiosos por essas migrações tem motivação completamente diversa do escasso interesse dos estudiosos pelas migrações dos anos cinquenta.

***Memória*** – *Há indícios de que a historiografia mais recente vai se deter no estudo das classes dominadas ou em fatos que envolvam os trabalhadores brasileiros?*

**J.S.M.** – Os estudos sobre os trabalhadores brasileiros ainda são poucos e insuficientes. Nos últimos anos, tivemos um número expressivo de estudos sociológicos sobre a situação dos trabalhadores rurais do período relativamente recente. Pouco interesse, porém, pela sina dos trabalhadores rurais e urbanos na história social do país. O pouco que se fez, de qualquer modo, esteve muito marcado pela motivação política de descobrir na história das classes trabalhadoras evidências de que elas tiveram algo a ver com a nossa história, de que tiveram lugar e papel significativo em tudo o que aconteceu nos últimos cem anos. Isso foi feito à custa de grandes distorções na enumeração dos fatos e na própria interpretação. Não há livro de história do Brasil que trate deste século que, ao falar da industrialização, não dê grande destaque às identificações anarquistas da classe operária.

Uma pesquisa séria e cuidadosa, porém, dificilmente comprovará que uma grande proporção dos operários era anarquista. Ou que os anarquistas tivessem de fato uma acentuada influência nas incipientes lutas da classe operária daquele período inicial da industrialização. Isso é fantasia dos intelectuais. As evidências indiretas, na maioria dos casos nem levadas em conta, sugerem, ao contrário, que era ínfima a participação dos anarquistas na força de trabalho. E mesmo os que tinham alguma identificação anarquista não a tinham porque fossem anarquistas. Mas, sim porque provinham de pequenas comunidades rurais, sobretudo na Itália, onde eram fortes as tradições de conflito com o Estado. Porém, porque era violento o conflito entre o novo Estado italiano, que se originou com o *Risorgimento*, e a Igreja.[3]

A imensa maioria dos imigrantes era católica e católica praticante (basta lembrar que nos bairros italianos e operários de São Paulo, e no subúrbio, como Mooca, Brás, Lapa, Água Branca, Pari, Ipiranga, São Caetano e São Bernardo, praticamente nada sobrou do anarquismo, embora tenham sobrado as vigorosas tradições católicas das festas de San Gennaro, da Madona Achiropita, da Madona de Casaluce, de San Vito Martire, de Santo Antônio di Padova (ou de Lisboa) e, revigorada recentemente, a de San Gaetano). Mais forte do que o anarquismo foi a tradição das sociedades de mútuo socorro, muitas das quais resistiram bravamente até há pouco (em São Caetano, a Società di Mutuo Soccorso "Principe di Napoli", fundada em 1892, sobreviveu até há poucos anos, e a Sociedade Internacional União Operária, de 1907, ainda funciona e é próspera).[4] Quase nada se falou das associações católicas operárias e é recente a publicação, por Riolando Azzi, dos volumes de uma história da Congregação de São Carlos, no Brasil.[5] Fundada por Monsenhor Scalabrini, bispo de Piacenza, no século passado, para acompanhar os emigrantes italianos em vários países, inspirada sobretudo na encíclica de Leão XIII sobre o trabalho, a *Rerum Novarum*, produziu uma notável coleção de documentos sobre a situação dos trabalhadores católicos, rurais e urbanos, sobretudo em São Paulo, mas também no Rio Grande do Sul, a partir do primeiro ano deste século. O Padre Francesconi, arquivista e historiador daquela Congregação, falecido há pouco, escreveu, também ele, uma dezena de volumes sobre a história social dos lugares onde houve a presença desses missionários. Um desses volumes se refere ao Brasil. Está tudo inédito e ainda em italiano. Trabalhei nesse arquivo por duas vezes, em Roma, e fico espantado ao saber que nenhum historiador brasileiro ou italiano se interessou pelas revelações que esses documentos fazem sobre as classes trabalhadoras de nosso país. Lembro que os missionários carlistas foram responsáveis pelas paróquias entre o Ipiranga e o Alto da Serra a partir do início do século, abrangendo, portanto, toda a região do atual ABC. No meu livro *Subúrbio*,[6] utilizei muitos desses documentos. Sem contar a absoluta falta de referência às organizações do *Fascio*, que nos anos vinte se disseminaram nos bairros e subúrbios operários por influência do consulado italiano. Tenta-se apresentar uma equivocada versão de esquerda da história de uma classe operária confusamente dividida, na verdade, entre esquerda e direita, entre socialismo e fascismo, entre ateísmo e catolicismo, entre o urbano e o rural.

Minha impressão é a de que o interesse pela história das classes trabalhadoras tende a diminuir ou, ao menos, não tende a se ampliar, o que é uma pena. Como se essa história já tivesse sido completa e objetivamente reconstituída e já não houvesse nenhum mistério a desvendar. Pois, há muitos aspectos antropológicos e sociológicos da história dessas classes que têm sido completamente ignorados pelos historiadores. Trabalhei em fábrica desde menino e fico chocado com a ignorância generalizada, entre os intelectuais, sobre o que ocorre no interior da indústria. Talvez porque os intelectuais que se interessam pela história dos trabalhadores estejam tomados por uma idolatria tola e ingênua e também por um certo sentimento de culpa, de classe média privilegiada, em relação aos operários. Daí o interesse predominante nos aspectos técnicos e econômicos da exploração do trabalho. Além de um postiço empenho em fazer da nossa classe operária a protagonista central da história social e política de um país agrário e oligárquico, em que a indústria só muito recentemente deixou de ser uma atividade econômica marginal.

Além disso, uma deturpadora concepção eurocentrista do que é a classe operária deixa completamente de lado as particularidades do nosso mundo do trabalho, as peculiaridades antropológicas da realidade social dos nossos trabalhadores. Ninguém ousaria imaginar que na indústria de ponta da região do ABC pudessem ocorrer tensões e problemas que não correspondessem ao modelo típico de proletariado da literatura sociológica europeia, como o aparecimento do demônio na Cerâmica São Caetano, em 1956, durante uma semana inteira. Escrevi um extenso estudo sobre esse acontecimento, chamando a atenção para aspectos desdenhados e ignorados da vida cotidiana na fábrica e do processo de trabalho. É pouco provável que esse tipo de estudo ganhe adeptos entre nós, embora no Congresso Internacional de Antropologia e Etnologia, realizado no México em julho de 1993, tenha havido um simpósio justamente sobre Antropologia Industrial, no qual fui convidado a apresentar a minha análise sobre o demônio na fábrica.[7]

***Memória*** – *Qual é a explicação?*

**J.S.M.** – Para mim a explicação está no fato de que os historiadores se dedicaram sobretudo à história de uma classe operária mítica e não ao estudo da classe operária real. Ora, a classe operária mítica entrou em crise com a crise profunda do socialismo de Estado e o fim do comunismo oficial. Isso talvez explique uma tendência ao desinteresse por sua história, já que não é mais, aparentemente, a protagonista central da história social.

***Memória*** – *Qual é a relação da história local com a "história em geral"?*

**J.S.M.** – Em *Subúrbio* abro uma polêmica com quem acha que a história local é o âmbito miniaturizado da História, que na história local ocorrem, necessariamente, em pequena escala, os grandes processos da História. Essa suposição é insustentável. A história local é a história da particularidade, embora ela se determine pelos componentes universais da História, pelos processos mais amplos e significativos. Isto é, embora na história local raramente sejam visíveis as formas e conteúdos dos grandes processos históricos, ela ganha sentido por meio deles, quase sempre ocultos e invisíveis. Cabe ao pesquisador descobrir esses nexos. A história local é certamente um momento da História, mas momento no sentido de expressão particular e localizada das contradições históricas. No subúrbio de São Caetano, dos anos trinta, a Revolução de Outubro não aparecia como a Revolução que propunha um rearranjo nas relações entre as classes sociais do país, mas como transformação social que implicava e propunha um rearranjo nas relações entre as gerações. No subúrbio de Saint Antoine, um dos berços imediatos da Revolução Francesa, na Paris de 1789, a Revolução não aparecia como o grande rearranjo estrutural das ideias e das classes sociais que alcançava o mundo inteiro, mas apenas como um confronto de natureza fiscal entre a população local e o governo relativo ao preço do pão.

É no âmbito local que a História é vivida e é onde, pois, tem sentido para o sujeito da História. Entre o homem comum e a História que ele faz há um abismo imenso, o abismo de sua alienação, de sua impotência diante das forças que ele próprio desencadeia quando, querendo ou não, junta a força da sua ação à práxis coletiva que cria o novo ou conserva o velho. A História não será corretamente decifrada pelos pesquisadores se não estiver referida a esse âmbito particular que é o do sujeito e o da história local, isto é, ao modo de viver a História. Por essas mediações a compreensão da História se enriquece, mas se enriquece também a consciência histórica de quem age na esperança de dar sentido ao seu destino no destino do gênero humano.

***Memória*** – *O que motivou você a se deter na análise de um subúrbio, especialmente São Caetano do Sul?*

**J.S.M.** – Desde antes de ingressar na Universidade, como aluno, eu já frequentava o Departamento do Arquivo do Estado e fazia pesquisa amadoristicamente sobre São Caetano, ajudado por velhos e pacientes arquivistas, como Nelo Garcia Migliorini e dona Glorinha, paleógrafos da instituição. Nasci e cresci no subúrbio e venho de uma família de imigrantes pobres que chegaram ao Brasil pouco antes da Primeira Guerra Mundial. Na minha família, todos tiveram que trabalhar desde muito cedo, homens e mulheres. Eu cresci ouvindo minhas avós camponesas, uma espanhola e outra portuguesa, uma na roça, na região do café, e outra no subúrbio industrial, contando histórias que mesclavam fragmentos de literatura oral da Idade Média, fragmentos da história oficial que chegavam às aldeias como crônicas das epopeias do rei, crônicas de uma história sem povo e, finalmente, restos da memória da própria história da família – a pobreza, as mortes e orfandades, a dispersão da família pela Espanha, pelo norte da África e pela América, a emigração para a Argentina, depois a volta para a Espanha e, finalmente, a emigração subsidiada para os cafezais de São Paulo numa casca de noz que era o vapor "Aqüitaine", traficando mão de obra desde o século XIX, como descobri depois.

Certa vez sentei-me ao lado de minha avó andaluza, já velhinha, mais de 90 anos de idade, e fui anotando nomes e idades que ela mencionava. Quando menina, órfã de pai e mãe, ela fora uma espécie de serva doméstica da Marquesa de Guadalmina. Convivera, no entanto, porque permanecera na mesma aldeia, com avós que já tinham discernimento quando Napoleão invadiu a Espanha e que já eram nascidos quando houve a Revolução Francesa. Sua memória familiar chegava ao século XVIII. Minha avó paterna, portuguesa de Amarante, a terra do vinho verde, no Douro, sentava os netos no chão e da sua cadeira preguiçosa contava histórias escabrosas de Pedro Malasartes ou então cantava longos trechos de velhos romances medievais.

Nas duas famílias, a memória era parte da vida. Essas narrativas eram um claro esforço de transmitir aos filhos e netos o nexo da vida de cada um com o tempo, os ancestrais, o que veio antes, a origem de todos. E os que viriam depois. Meus avós conheceram bisnetos e trinetos. E conversaram com bisavós. Era esse o que entendiam ser o nexo com o mundo, com o que tem sentido. Nessas minhas famílias camponesas, o acalanto das crianças trazia consigo esses resíduos do tempo, tentativa de implantar no espírito de cada uma a ideia de que cada membro da nova geração é herdeiro de uma história, residual e fragmentária, a história dos que viveram para o trabalho – e que ganha seu pleno sentido, seu lugar e cume, na memória dos velhos, dos avós contadores de história. É desse modo que cada nova criança é reconhecida e incorporada como membro do corpo familiar, e nele se reconhece, cuja realidade e cujo sentido se desdobra ao longo da existência de várias gerações.

No fim das contas, essa é a história dos homens sem História, dos que vivem à margem da história oficial, da história do poder e dos poderosos, dos que mandam. Aquela incrível mescla nos falava do nosso lugar na sequência da vida das pessoas insignificantes, que recolhem ao longo da existência fragmentos de literatura oral do passado, crônicas dos grandes acontecimentos não presenciados, registros da própria existência, ritmada pela vida e pela morte, na tentativa de dar sentido à vida. Eu cresci aprendendo esse modo de ver e viver dos subalternos, dos insignificantes, dos simples, dos que vivem à margem da História, dos que vivem para o trabalho.

O subúrbio foi o lugar em que cresci e onde em parte aprendi essas coisas. Ali, era nessa perspectiva que a vida chegava à consciência de seus habitantes. Porque o subúrbio é o lugar do trabalho, em oposição à cidade, que é o lugar do poder e do saber. Ele é também o lugar em que a alienação se apresenta sob a forma do viver como incógnita. O mundo do trabalho não é apenas e nem principalmente um mundo de carências materiais. Ele é sobretudo um mundo de carência de sentido. É por isso que o tema da consciência e dos modos de tomar consciência da exploração e da dominação é um tema tão central na vida e na história das classes trabalhadoras. Estudá-lo foi para mim decifrá-lo, porque faltava algo que desse sentido àquela memória e àquela coleção de fragmentos da experiência. Decifrá-lo era uma necessidade da vida, era uma tomada de consciência de que na história de todos nós, parentes e vizinhos, alguma coisa não estava clara e se perdia. Hoje sei que, como já não estávamos nas aldeias camponesas de meus avós, aquelas narrativas eram acima de tudo crítica a uma sociedade que não reconhece nos pobres, nos trabalhadores, nos imigrantes e migrantes, enfim, nos homens simples, a condição de protagonistas da História, com o direito claro de reivindicar nela lugar e reconhecimento e, sobretudo, participação na definição de seus rumos.

A minha, antes de ser uma opção acadêmica foi uma opção existencial. Mas, opção existencial que pretende e espera trazer para as ciências sociais a realidade de um mundo ocultado pelas grandes categorias explicativas e pelas grandes abstrações, aquilo que nem sempre tem tido visibilidade no trabalho científico, o drama e a trama da sociabilidade dos simples. Há nisso uma proposta metodológica e teórica: observar a sociedade a partir da margem, do mundo cinzento daqueles aos quais as contradições da vida social deram a aparência de insignificantes e que como insignificantes são tratados pela ciência. E, no entanto, se movem...

Quando as ideias chegaram ao subúrbio, provocaram uma convulsão porque proclamaram e propuseram que as ideias sem vida não têm sentido, como não o tem a vida sem ideias. Isso só foi acontecer abertamente nos anos cinquenta. Nos anos trinta, o marxismo chegou clandestinamente através dos poucos livros que formavam as comoventes bibliotecas familiares dos operários comunistas. Livros que foram usados pela repressão como provas de subversão e que levaram não poucos daqueles trabalhadores à prisão e até à morte. Os historiadores da nossa classe operária, como bons pequeno-burgueses, sabem da dramática história de Olga, mas nada sabem sobre a prisão e a morte do sapateiro Francisco Marquez e do gráfico Manuel Medeiros, de São Caetano, na mesma época e na mesma onda repressiva.[8] Eles que tinham com a nossa sociedade a relação vital que Olga não tinha: a cotidiana relação de trabalho e a miúda luta social e política de todos os dias. Nos anos trinta e nos anos quarenta, a Igreja Católica tinha o monopólio das ideias no subúrbio. As outras ideias eram clandestinas. Nem mesmo havia bibliotecas públicas ou livrarias. A prática estava compulsoriamente divorciada da teoria.

Nos anos cinquenta, não só chegou ao ABC a grande indústria automobilística, que multiplicou o número de operários, sobretudo mineiros e nordestinos. Chegou, também, o debate político e a multiplicação das ideias, os primeiros intelectuais, a música, o teatro laico, a proliferação dos ginásios estaduais e Florestan Fernandes fazendo conferência em favor da escola pública.

Nessa época eu me converti ao protestantismo e tornei-me membro professo da Igreja Presbiteriana. A modesta Igreja “Filadélfia” teve pastores notáveis, grandes intelectuais progressistas, como Domício Pereira de Matos (editor do *Brasil Presbiteriano*) e Paulo Lício Rizzo (autor de ensaios, romances e de uma premiada novela sobre a classe operária do Brás e da Mooca[9]). Foi com os sermões eruditos, sermões de cátedra, desses dois intelectuais finos que, indiretamente, aprendi a juntar os fragmentos da memória de minha família e a história fragmentária dos meus parentes e dos meus vizinhos. Eles faziam os sermões da fé dos excluídos da religião “oficial”, os sermões da concepção alternativa da vida e do mundo. Sobretudo, eles ensinavam a pensar a relação entre a vida e a fé, a pensar o nexo lógico entre a vida e a consciência, como é próprio da tradição protestante. Eles traziam para o subúrbio o discurso da Razão.

No Curso Normal do Instituto de Educação "Américo Brasiliense", de Santo André, no tempo da escola pública erudita dos catedráticos concursados, originários da Universidade de São Paulo, encontrei a História, a Sociologia e a Antropologia e um modo de pensar sociológico que oferecia critérios para refletir sobre a incógnita da vida dos trabalhadores do subúrbio de um modo antropológico. Li *O Homem*, de Ralph Linton, no primeiro ano da escola normal. Era obrigatório.

A história do subúrbio é a história de todos nós que chegamos do fundo da História, na tentativa de decifrar a práxis fragmentária que nos une aos nossos antepassados camponeses e servos da gleba, e aos seus iguais, à sua classe, e à obra que eles construíram sem saber e que se apresenta diante de nós como um enigma indecifrável. Eles não foram privados unicamente dos resultados de seu trabalho, mas também da verdade sobre o mundo que construíram, da grande obra humana que resulta das privações que sofreram. Para eles, o sujeito da História não era o indivíduo das concepções do contrato social. Mas, o sujeito imortal que perdura ao longo das gerações no trabalho e na consciência de filhos e netos. A memória é o atestado de vida dessa imortalidade que só se completará quando o homem for reconciliado com sua obra. Aí, então, ele poderá descansar em paz, se quiser.

***Memória*** *– Como a indústria transformou o subúrbio?*

**J.S.M.** – Lentamente, a partir do final do século XIX. A palavra subúrbio já aparece em documentos do século XVIII, em várias regiões do Brasil, e também aqui em São Paulo, para designar o território que no contorno da cidade tem uma relação íntima e cotidiana com ela, embora ali estejam os bairros rurais. O subúrbio era o lugar de moradia dos potentados rurais. E, no caso de São Paulo, era, desde os séculos XVI e XVII, o lugar de concentração dos índios aldeados (como em Nossa Senhora da Escada, em São Miguel, em Carapicuíba, no Embu, em Barueri, em Itapecerica, em Pinheiros) e mestiços livres, deles descendentes, filhos da grande violência que confrontara índios e brancos. Era, enfim, um cinturão caipira. A indústria começou a se desenvolver, em São Paulo, na segunda metade do século XIX, mais acentuadamente a partir de 1873. Mas, logo os industriais perceberam que boa parte de seu capital era absorvido pela renda fundiária urbana, dado que os preços de terrenos eram mais altos no centro da cidade, ao redor da estação da Luz, da rua Florêncio de Abreu, do Bom Retiro, e bloqueavam até mesmo pequenas expansões das fábricas incipientes.

A partir de 1880, os industriais descobriram que podiam com grande vantagem comprar extensos lotes de terra no subúrbio, especialmente ao longo da ferrovia, a São Paulo Railway, que os colocava em contacto com o mercado e os estabelecimentos comerciais da cidade e do interior e, ao mesmo tempo, com o porto de Santos. Era possível vender por alto preço os imóveis já possuídos na cidade, que estava se expandindo, e, com o dinheiro, comprar muito mais terreno no subúrbio. Muito mais e melhor servido pelo transporte ferroviário e pelo rio Tamanduateí e seus afluentes, fontes de água e da energia da época, no subúrbio, que era o vapor. Ali, a energia elétrica só chegaria em 1910. No início deste século já havia várias grandes indústrias instaladas ao longo da São Paulo Railway e do rio. Mas, a indústria se instalou num cenário rural, suburbano, e assim foi até os anos trinta. Frequentemente, a mão de obra dos vários membros da família estava dividida entre agricultura, artesanato e indústria, na mesma localidade. Somente a partir dos anos trinta e sobretudo nos anos quarenta é que a indústria acabou de ocupar grandes espaços do subúrbio e, ao mesmo tempo, estimular a ocupação dos espaços restantes com moradias operárias.

***Memória*** – *É comum o morador do subúrbio ver a cidade como algo distante, diferente, como se ele não fosse parte dela. A partir de que momento isso começa a ocorrer e por quê?*

**J.S.M.** – Penso que, em grande parte, isso já acontecia antes da industrialização e se manteve apesar dela. No século XVIII, verdura era trazida diariamente da Fazenda de São Caetano até o Mosteiro de São Bento, na cidade. Na mesma época, uma canoa descia rotineiramente o rio Tamanduateí, até o Porto Geral de São Bento, no atual Parque Dom Pedro II, trazendo a produção de telhas, tijolos e louças, da fábrica dos beneditinos em São Caetano, para um depósito que ali havia. E isso durou de 1730 até 1862, pelo menos. Portanto, a relação da fazenda do subúrbio com a cidade já era cotidiana e rotineira. Mas, na mesma época, toda a vez que o abade de São Bento ia para a fazenda ou dela voltava, os preparativos eram os de uma grande viagem: chamava-se os índios de Pinheiros para que, mediante um pequeno salário, o carregassem na rede até São Caetano ou de São Caetano até o Mosteiro. Naqueles tempos, os escravos e moradores da Fazenda de São Caetano faziam uma romaria até a Igreja de Nossa Senhora do Ó, para levar-lhe rosas. Os preparativos eram os de uma verdadeira viagem a um lugar distante. Os colonos italianos de São Caetano, a partir de 1877, tinham que enterrar seus mortos no cemitério da Consolação; a partir de 1890, no cemitério do Brás e só a partir de 1911 no próprio cemitério de São Caetano. Nos dois primeiros casos, faziam uma longa viagem a pé para realizar os sepultamentos de amigos e parentes. Quando ficavam doentes, passavam um telegrama ao chefe da estação do Brás, que mandava um mensageiro entregá-lo ao médico. Este tomava no mesmo dia, ou no dia seguinte, um dos dois ou três trens diários que iam para Santos e o fazia num horário que lhe permitisse voltar a São Paulo no mesmo dia, no final da tarde. Na estação de São Caetano, era aguardado por um dos moradores que o levava de carroça até a casa do enfermo. Na volta, era acompanhado por um parente ou amigo do doente, que comprava e trazia os remédios, pois em São Caetano não havia farmácia. Tudo podia tomar até dois dias. A própria polícia tinha que ser chamada por telegrama. Em 1911, São Caetano era local de pic-nics de fim de semana de moradores da capital. E os moradores de Santos iam veranear em São Bernardo.

Eu ainda conheci esse subúrbio *distanciado*, mais do que *distante*, quando morei na Fazenda Santa Etelvina, em Guaianases, em 1948 e 1949. Hoje aquilo é periferia. Para vir a São Paulo, os preparativos eram os de uma complicada excursão. Partia-se de madrugada: saíamos de casa às quatro horas da manhã, para pegar um trem da Central do Brasil antes das seis horas e voltar no fim do dia. Entre a ida e a volta, eu tinha que andar dezesseis quilômetros a pé todos os dias para ir ao Grupo Escolar "Pedro Taques", fazer o curso primário. E gastava o dia inteiro quando ia a Itaquera levar o nosso cavalo tordilho para ferrar. Zélia Gattai tinha parentes em

São Caetano, nos anos vinte, dos quais fala em *Anarquistas, Graças a Deus*. Quando ia visitá-los, sua família preparava-se como se fosse fazer uma longa viagem para o interior, até cesta de merenda levavam – e o trem na verdade só tomava 15 a 20 minutos para ir da estação da Luz à estação de São Caetano. Quando eu era adolescente, nos anos cinquenta, na mesma estação de São Caetano, ou na de Santo André, milhares de operários tomavam o trem de madrugada, para trabalhar no Ipiranga, na Mooca, no Brás, na Barra Funda, na Água Branca, na Lapa, em Utinga ou Santo André. E na mesma época havia quem tomasse o solene trem "Cometa", um expresso de luxo, que vinha de Santos, e em que só se podia viajar de paletó e gravata, como se a pessoa fosse fazer uma longa e demorada viagem do litoral para a capital.

Mas, sobretudo, o subúrbio, por essa sociabilidade produzida no isolamento relativo, nas dificuldades materiais de comunicação do passado, acabou por constituir um estilo de vida particular, marcado por uma peculiar mentalidade suburbana. O imaginário do subúrbio ainda hoje é um imaginário familístico e rural. Mais do que mudar, o subúrbio permaneceu.

***Memória*** – *A partir da extensão da ferrovia (1866) e, depois, das linhas do bonde elétrico da Light, a circulação de pessoas e mercadorias, sobretudo a mercadoria mão de obra, tornou-se mais fácil e rápida e aproximou a periferia à cidade. Quais as implicações deste fato?*

**J.S.M.** – Como eu disse, os efeitos da intensificação das comunicações entre a cidade e o subúrbio, por meio do trem e, parcialmente, do bonde (que chegava até a fábrica Falcchi, na Vila Prudente, e até a fábrica Sacomã, no Ipiranga) foram muito lentos. Foram necessários quase cem anos para que os transportes de algum modo revolucionassem o modo de vida dos suburbanos. Essa revolução ocorreu, na verdade, com a televisão, que disseminou novos estilos de comportamento e novas concepções de vida. Lembro bem que em minha casa e na dos vizinhos e parentes, em São Caetano, as pessoas tinham uma espécie de dupla vida – a da cidade e a do subúrbio. Voltar para casa era como voltar para o interior. Isso até os anos cinquenta. Em São Bernardo isso durou até os anos sessenta e ainda hoje a cidade tem um clima delicioso de cidade interiorana. Até os anos quarenta, na casa de meu avô, se fazia um mutirão familiar uma vez ao ano para matar o porco, fazer chouriço, derreter a banha e acondicionar a carne frita em grandes latas de banha para consumo durante os meses seguintes, pois geladeiras só havia aquelas de madeira, no armazém da esquina. Outro mutirão era convocado para fazer as broas de milho, acondicionadas em toalhas de linho e distribuídas entre os parentes. E outro, finalmente, para esmagar a uva e fazer o vinho que, depois de engarrafado, ficava enterrado na areia, no porão da casa, que era utilizado como adega. Ali, a cada domingo, vinham os parentes buscar o seu litro ou sua garrafa de vinho para o almoço. Muitos anos depois da morte de meus avós, meu primo, que herdara a casa, ainda encontrou garrafas de precioso vinho caseiro enterradas na areia do porão.

***Memória*** – *O cotidiano é História?*

**J.S.M.** – É e não é. É, porque a História na acepção dialética só o é como História vivida, como história da práxis. Não é, porque a História não se restringe ao cotidiano. Os cientistas sociais, de diferentes inspirações teóricas e diferentes orientações metodológicas, quase sempre trabalharam com a suposição de que são históricos os processos sociais de que se pode eliminar a presença perturbadora do sujeito. É compreensível que seja assim, pois buscam a universalidade que se esconde por trás de acontecimentos e ocorrências, pessoas e lugares.

As ciências humanas só agora estão descobrindo o nexo desse resíduo da Filosofia, que é a vida cotidiana, com a História propriamente dita. Essa descoberta, porém, para se firmar, depende ainda de um minucioso trabalho de reatamento das manifestações imediatas e aparentes das relações sociais com os seus resultados e significações duradouros e históricos. Ela passa, portanto, pelo vivido, mas o vivido com significado. O vivido, porém, é contraditório: a intenção muitas vezes equivocada do fazer está numa relação de desencontro com aquilo que é feito. A história real se desenrola, pois, no claro-escuro do percebido e do concebido, por meio do vivido, como sugere Henri Lefebvre. Isto é, o cotidiano não é o meramente residual, como pensavam os filósofos, mas sim a mediação que edifica as grandes construções históricas, que levam adiante a humanização do homem. A História é vivida e, em primeira instância, decifrada no cotidiano. Nesse sentido, de modo algum o cotidiano pode ser confundido com as rotinas e banalidades de todos os dias, como fazem muitos pesquisadores, historiadores e sociólogos, que se demoram nos detalhes e formalidades insignificantes da vida, imaginando com isso resgatar o sentido profundo da subjetividade do homem comum. Mesmo onde a subjetividade não existe, como na escravidão ou nas sociedades camponesas ou indígenas.

Convém, justamente, ter presente que nem todas as sociedades e nem todas as épocas tiveram vida cotidiana. As sociedades em que a vida é vivida com estilo provavelmente não têm vida cotidiana. De certo modo, era o que ocorria com os escravos do subúrbio de São Paulo no século XVIII e nos aldeamentos. Nas fazendas dos monges de São Bento, o duro trabalho braçal era mediado por um ambiente e por concepções da vida que traziam para o âmbito do imediato, para os cenários e instrumentos de trabalho, as grandes concepções artísticas da Europa civilizada. Na segunda metade do século XVIII, a Fazenda de São Caetano, onde os beneditinos tinham a fábrica de telhas, tijolos e louças, foi totalmente remodelada, como também o Mosteiro, de modo que à vida de todos os dias fossem incorporadas as concepções das Luzes, da higiene à localização das senzalas e ao modo de tratar os escravos. As grandes concepções filosóficas da época estavam imediatamente presentes na vida de cada dia. Lembro, aliás, que, por esse tempo, o historiador Frei Gaspar da Madre de Deus organizou um curso de filosofia no mosteiro beneditino de São Paulo. O chamado *Livro da Mordomia* do Mosteiro de São Bento, o livro dos gastos diários, mostra claramente que o trabalho, e trabalho cativo, não era uma finalidade, mas apenas um momento de uma grande celebração, uma grande cerimônia, que remontava às regras de São Bento, séculos antes. A finalidade do trabalho era a de possibilitar a constituição do belo e por meio dele a celebração de Deus e da criação.

Justamente quando, com o desenvolvimento do capitalismo, a finalidade do trabalho passa a ser o próprio trabalho, tenha sentido ou não, e o trabalhador se põe numa relação de divórcio e alteridade com sua obra, que se acumula sem destino, na acumulação pela acumulação, é que o trabalho sem sentido dá origem à vida cotidiana. Nesse plano, só aparentemente o cotidiano vai numa direção e a História noutra.

***Memória*** – *É possível reconstituir a História através da memória?*

**J.S.M.** – Essa pergunta nos põe diante de um belo problema. Sem dúvida é possível reconstituir a História através da memória. Mas, ela será outra história e exigirá um outro tipo de historiador, diferente daqueles que assim são considerados. A reconstituição histórica que incorpore os dados da memória implica em reformular a concepção de História, mediante a incorporação de outras temporalidades, diversas daquelas que marcam o tempo reconhecido da História. Mediante, também, a incorporação dos pequenos acontecimentos da vida cotidiana e a das concepções de senso comum que mediatizam a inserção do homem comum nos processos históricos. Para concretizar esse programa é necessário que o historiador tenha boa formação em sociologia e antropologia, coisa que normalmente não acontece com muitos. A memória não é um substituto do documento escrito, mas é reveladora de realidades que não estão registradas nesse tipo de documento. Trabalhar com a memória como documento implica em repensar o que é História.

Tomemos como referência a história da escravidão. Na medida em que, em grande parte, essa história é memória de brancos, está dominada por uma leitura economicista dos documentos e pela redução da realidade do negro em cativeiro exclusivamente ao trabalho escravo, deixa de lado outros aspectos fundamentais da vida do negro cativo, como suas crenças e seu modo de crer, os rituais, as regras de parentesco, as hierarquias, a memória mítica, a resistência, os segredos e ocultamentos. Trata-se de uma concepção branca do trabalho escravo, geralmente a do trabalho do eito, sobretudo nos canaviais e cafezais, já inserido no processo de produção não capitalista do capital. Porém, a realidade profunda do negro escravo não se reduzia à escravidão, que era muito mais ampla, distribuída por uma diversidade enorme de atividades, produtivas e não produtivas. Nos anos finais da escravidão em São Paulo, os donos de escravos eram na maioria senhores de um escravo só, o que implicava necessariamente num relacionamento muito próximo e muito pessoal entre o senhor e o cativo, mais uma relação doméstica de servidão do que o que estava pressuposto na relação jurídica do cativeiro.

Além disso, a escravidão, sobretudo no século XVIII, era muito complexa. No subúrbio, na Fazenda de São Caetano e na de São Bernardo, havia escravos negros, africanos ou de origem africana, e havia índios administrados e seus descendentes, mais servos do que escravos. Cada grupo estava submetido a um estatuto jurídico diferente, com modalidades de sujeição distintas. Apesar da escravidão indígena ter sido abolida no início da segunda metade do século XVIII, os índios administrados foram mantidos em servidão e, por meio da miscigenação com escravas de origem africana, nos descendentes reduzidos à escravidão negra no século XIX. É dessa escravidão que, no geral, falam os historiadores.

Lembro de um caso revelador, do tipo que não ficou na memória da escravidão. O Mosteiro de São Bento, dono da Fazenda de São Caetano, tinha um mestre ferreiro conhecido como Mestre Marcos Bueno da Conceição. Ele foi recenseado na lista de população de 1765. Aparentemente, era um índio capturado criança ainda nas primeiras incursões de bandeirantes no território de Cuiabá. O fato de ser chamado de Mestre Marcos, apesar de relativamente jovem, significa que muito provavelmente havia passado no exame do ofício de ferreiro e se tornara mestre da respectiva corporação. Depois disso, ele foi nomeado feitor dos escravos de São Caetano e por esse trabalho recebia um salário, porém, salário anual, de que pedia adiantamentos de vez em quando, ao longo do ano. Ao mesmo tempo, Mestre Marcos aforou do Mosteiro uma ilha no rio Tamanduateí, pertencente à fazenda, para fazer suas roças, estabelecendo contrato, como se fosse um homem livre. Produzia mandioca e fazia farinha. Vendeu ao Mosteiro, de que era escravo, uma parte da sua produção em ano determinado. O abade, porém, recusou-se a pagar-lhe o combinado, alegando que ele vendera indevidamente couros de bois que haviam morrido atolados nas terras pantanosas de uma parte da fazenda e que estavam sob sua guarda. Sentia-se o abade livre para agir desse modo porque se tratava de um índio cativo. Mestre Marcos não recorreu à Justiça do rei, pois sendo escravo, não podia fazê-lo. Mas, entrou com requerimento escrito ao visitador da Ordem de São Bento, pedindo-lhe justiça e implorando que o abade fosse obrigado a pagar-lhe o que lhe devia. A sentença final do monge-visitador foi-lhe favorável, obrigando o abade (agora ex-abade, pois enquanto isso terminara seu mandato) a pagar-lhe a farinha com dinheiro de seu próprio bolso. A sentença não dizia que Marcos era cativo, mas sim colono da Ordem, isto é, lavrador. Além do mais, Mestre Marcos casara com mulher de família antiga no bairro, aparentemente branca. Portanto, ele estava inserido simultaneamente em relações sociais de datas históricas completamente distintas: pertencia a um subgrupo da escravidão, o dos índios administrados e, nesse sentido, *era considerado cativo*; mas ao mesmo tempo *era foreiro e colono*; e por ser o feitor dos escravos, *era também assalariado*. Isto é, tinha prerrogativas reservadas a homens livres. Era, portanto, uma tríplice pessoa, uma contraditória síntese de possibilidades históricas. Sem contar a disparidade das categorias étnicas no seu grupo familiar e doméstico: índios e brancos. Essa é a história real: memória, exceção, mas não memorável, porque não se inscreve nos limites da história reconhecível como tal, a das grandes estruturas e das grandes categorias sociais de referência.

Se entendermos que a memória não é apenas a recordação verbalizada, então há muito mais a considerar. A memória do passado, isto é, das experiências sociais passadas e dos antepassados, se inscreve nos gestos, nos gostos, na audição, nos sotaques, no paladar, no olfato, nos cheiros. Há alguns anos um pesquisador europeu fez um estudo de gestos e ritmos do corpo entre os negros do Cafundó, perto de Sorocaba. Um grupo que ainda conservava uma pequena coleção de palavras africanas em seu vocabulário, mutilado e insuficiente para permitir a construção de frases inteiras. Essas palavras, porém, permitiram a identificação do grupo étnico africano a que os negros do Cafundó pertenciam. Por meio dessa informação foi possível identificar e localizar o grupo original na África e recolher ali evidências da mesma linguagem gestual e rítmica. E, portanto, descobrir no trabalho do pilão a fonte dos ritmos do corpo dos negros de lá e de cá. Toda essa informação não passava pela documentação escrita nem pela pesquisa histórica convencional.

Os camponeses negros do interior de Minas Gerais e do Maranhão, ainda que pobres, muitas vezes analfabetos, descalços e aparentemente rústicos, são quase sempre dotados de uma delicadeza fidalga no relacionamento com as pessoas, conhecidas ou não. O relacionamento com eles se apoia numa cerimônia de interação claramente referida a concepções de deferência e homenagem próprias do estamento senhorial do passado. O mesmo acontece com os caipiras de São Paulo, que nos seus relacionamentos praticam ritos de deferência que seus antepassados indígenas aprenderam dos jesuítas no século XVI. Já para não falar das religiões africanas que sobreviveram através de práticas secretas e que envolvem não só crenças, mas também hierarquias sociais, critérios de classificação social, etc. Aí a memória nos fala justamente de relações e concepções sociais antigas que não foram registradas na documentação escrita. Nem desapareceram.

***Memória*** *– Não obstante a história do subúrbio ser uma história circunstancial e de coadjuvantes – como você mesmo afirma em seu trabalho –, em determinados momentos ela não pode se tornar ou ganhar um caráter global e de protagonistas, como por exemplo ocorreu com as greves do ABC em 1978, 1979 e 1980?*

**J.S.M.** – É possível que sim e há algumas indicações nesse sentido. Mas, esses momentos são muito especiais. Pessoalmente, acho que as greves que você menciona, a aglutinação da classe operária que elas viabilizaram, a redefinição dos rumos políticos do proletariado brasileiro que elas propiciaram, não constituem um bom exemplo desse fato. Os operários do ABC revolucionaram o papel político da classe operária no Brasil. Mas, ao mesmo tempo, não se deram conta do verdadeiro âmbito histórico de suas decisões e de suas ações. Basta ver que o poder local, em praticamente todo o ABC, retornou às mãos do velho trabalhismo capturado pela pequena burguesia local desde os tempos do Dr. Getúlio. É compreensível que isso tenha ocorrido, na medida em que o fazer História é o resultado de uma relação desencontrada entre o sujeito e o produto de sua ação, desencontro que se manifesta como se o espaço do "local" fosse um e o do "geral" fosse outro. Na Revolução Russa, houve momentos de excepcional lucidez, de excepcional encontro entre o sujeito e sua obra histórica e revolucionária. Fora assim, também, na Revolução Francesa. Mas, o homem comum (e local) com facilidade perde o contacto com as possibilidades históricas das situações sociais que cria. Vivemos algo parecido na campanha das Diretas-Já, embora seja essa uma escala muito modesta da História em comparação com os acontecimentos que indico.

Ao mesmo tempo, esse encontro não é súbito nem necessariamente efêmero. Na própria região do ABC, a possibilidade dessa reformulação foi sendo gestada lentamente, desde os anos trinta. Naquela época, o ABC tinha uma importante concentração numérica de operários comunistas, sobretudo em São Caetano. Eles foram duramente reprimidos em 1936-37, quando da perseguição e prisão dos membros da Aliança Nacional Libertadora. Em 1947, com o Partido Comunista já na ilegalidade, quando o ABC era constituído de apenas dois municípios – o de Santo André e o de São Bernardo – os trabalhadores comunistas de Santo André elegeram o prefeito e a maioria dos membros da Câmara Municipal, que foram em seguida cassados. Quando foi criada a Diocese, nos anos cinquenta, ela já o foi pressupondo que o grande combate ideológico na região se daria no modo do relacionamento com os operários e os sindicatos controlados pelos comunistas. Daí a aproximação política do primeiro bispo, Dom Jorge Marcos de Oliveira, com eles, inaugurando uma pastoral do trabalho surpreendentemente avançada para a Igreja daquela época. As greves mencionadas e a renovação sindical daquele período são a conseqüência de uma história de lutas da classe operária regional e de uma cultura operária gerada na particularidade dessa situação. Não foram o resultado de súbito surto de consciência política.

***Memória*** – *Pode-se dizer que a reconstituição da história local imita geralmente a da "história geral". Ou seja, observam-se objetos, prédios, documentos etc, monumentos de "personalidades ilustres", de momentos selecionados. Não contempla nem o trabalho nem o trabalhador e muito menos os choques e conflitos. Esta tendência tem sido revertida ultimamente?*

**J.S.M.** – Em oposição à intenção da pergunta, eu diria que nos últimos anos até se exagerou na produção de uma historiografia social dominada pela pobreza da concepção de que a verdade da História se reduz à história dos conflitos sociais. Numa perspectiva verdadeiramente dialética é necessário antes de tudo ter em conta que a chave explicativa que dá sentido ao curso da História está na contradição entre o homem e sua obra, na relação alienada entre aquilo que ele quer e aquilo que ele faz; no desencontro que cria necessidades sociais que são necessidades radicais, isto é, necessidades que só podem ser satisfeitas mediante profundas transformações sociais, como sugerem Lefebvre e Heller. O simples conflito fabril pode não estar revestido das implicações profundas desse desencontro, uma vez que a greve pode, em muitas circunstâncias, ser apenas conflito de interesses e não imediata e propriamente conflito de classes. Nem todo conflito envolve a radicalidade pressuposta na concepção de que é do conflito que nasce a História.

Nesse sentido eu diria que o quadro da pesquisa e da interpretação históricas não está sendo revertido, mesmo quando se multiplicam as pesquisas e os estudos sobre conflitos sociais, sobre a classe trabalhadora e sobre as lutas de classes. Infelizmente, assim como a história local de modo algum imita imediatamente a História, assim também, contraditoriamente, a pesquisa e o estudo dos grandes processos históricos não reconhecem na escala dos grupos locais e dos sujeitos e suas pequenas contradições os protagonistas ocultos ou embaçados da História. Todos estão procurando o sujeito típico ideal e o protagonista mítico, que, no fundo, é irreal.

## NOTAS

* Versão integral e revista de entrevista realizada por José Antonio Segatto, Luzia Monteiro A. Soares e Roniwalter Jatobá. Publicada com o título de "Abismos da História" em ***Memória*** (Ano v, n. 19, Eletropaulo, S. Paulo, julho a dezembro de 1993, pp. 17-24).

1 Um cuidadoso estudo sobre os migrantes internos para o Estado de S. Paulo, na mesma época da imigração estrangeira, é o de Ely Souza Estrela, ***Os Sampauleiros – Cotidiano e Representações***, São Paulo, Humanitas/Educ, 2003. Cf., também, José de Souza Martins, "O migrante brasileiro na São Paulo estrangeira", *in* Paula Porta (org.), ***História da Cidade de São Paulo***, 3 volumes (Volume 3: *A cidade na primeira metade do século XX*), Paz e Terra, São Paulo, 2004, pp. 153-213.

2 Cf. José de Souza Martins, "La inmigración española en Brasil y la formación de la fuerza de trabajo en la economía cafetalera, 1880-1930", *in* Nicolás Sánchez-Albornoz (comp.), ***Españoles hacia América*** – *La emigración en masa, 1880-1930*, Alianza Editorial, Madrid, 1988, pp. 249-269 (edição brasileira: "A imigração espanhola para o Brasil e a formação da força de trabalho na economia cafeeira: 1880-1930", *in* ***Revista de História***, n. 121, Universidade de São Paulo, ago.-dez. de 1989, [São Paulo, 1992], pp. 5-26). Além desse trabalho, escrevi ainda: "Espanhóis na formação e simbolização da identidade brasileira", *in* AA. VV., ***Brasil e Espanha – Diálogos Culturais***, Fundação Cultural Hispano-Brasileira, São Paulo/Madrid, 2006, p. 81-98; e "A presença espanhola no Brasil e a contribuição dos espanhóis à formação da sociedade brasileira", 56 p. (inédito). A bibliografia acadêmica sobre a imigração espanhola tem crescido nos últimos anos, em particular com estudos sobre espanhóis na Bahia.

3 Ressalvo, porém, que a incipiência entre nós das diferentes organizações políticas operárias, nas duas primeiras décadas do século XX, fez com que o crescimento da classe operária em São Paulo e das lutas operárias encontrasse no relativamente pequeno e ativo grupo dos anarquistas, na greve geral de 1917, o grupo político capaz de dar direção ideológica ao conflito e liderá-lo. Sensibilizando, especialmente, trabalhadores espanhóis e portugueses, além de italianos, o grupo anarquista teve presença localizada, como no bairro do Brás e no subúrbio de São Caetano, de

numerosa população de origem italiana. Mas a imensa maioria dos italianos locais, ultracatólica, manteve-se distante dos anarquistas, como se manteria distante dos outros grupos de esquerda, não raro identificando-se com o fascismo. Em São Caetano, os anarquistas criaram a Escola Moderna n. 3, em 1918, no Sindicato dos Laminadores, que congregava os operários espanhóis da Companhia Mecânica e Importadora, do Conde Siciliano. Cf. Antonio José Marques, "L'Escola Moderna de São Caetano", *in* ***Espai de Llibertat***, n. 44, Fundació Ferrer i Guardiã, Barcelona, Quart. Trimestre 2006, pp. 41-43 <http://www.laic.org/cat/espai/articles/44_apuntw.htm>.

[4] Acrescente-se, também, a Associação Auxiliadora das Classes Laboriosas, antiga sociedade de carpinteiros e pedreiros, de 1891, ainda existente na mesma sede social no centro de São Paulo, na rua Roberto Símonsen.

[5] Cf. Riolando Azzi, ***A Igreja e os Migrantes***, v. 1 e 2, São Paulo, Paulinas, 1987-1988.

[6] Cf. José de Souza Martins, ***Subúrbio*** *(Vida cotidiana e História no subúrbio da cidade de São Paulo: São Caetano, do fim do Império ao fim da República Velha)*, 2. ed., Coedição Editora Hucitec/Editora da Unesp, São Paulo, 2002.

[7] Cf. José de Souza Martins, "A aparição do demônio na fábrica, no meio da produção", cit., pp. 1-29. Desde 1990, em sistema de rotação bienal, realiza-se nos municípios do ABC o Congresso de História da Região do ABC, com participação não só de pesquisadores acadêmicos, mas também, e sobretudo, do que na região é chamado de "memorialista". Muitos deles são antigos operários e dirigentes sindicais. Nas sessões do Congresso tem sido frequentes depoimentos e comunicações relativos à vida cotidiana no subúrbio e também na fábrica, que alargam e até questionam a concepção acadêmica e política estreita do que é a vida operária e a vida na fábrica.

[8] Manuel Medeiros era gráfico. Preso político, morreu no Presídio Maria Zélia. Francisco Marquez, espanhol, era sapateiro, preso na mesma ocasião. Tinha mulher e filhos no Brasil, mas foi deportado para a Espanha e fuzilado pelos franquistas no Porto de Vigo.

[9] Cf. Paulo Licio Rizzo, ***Pedro Maneta***, Imprensa Nacional, Rio de Janeiro, 1942.

# Por uma sociologia sensível*

*(Entrevista a Jacqueline Sinhoretto e Helena Singer)*

"Uma vírgula para o ponto final
Afinal, vemos tudo sem voltar
E voltamos a ser como não éramos
Sempre, sempre, até nunca mais."
Joana Zatz Mussi, **Exclamação.**

***Plural*** – *Na introdução de seu livro* Subúrbio,[1] *você anuncia a opção de estudar a história circunstancial, no sentido de juntar essa história circunstancial com a história dos processos sociais mais amplos. Seria correto dizer que, naquele livro, você está fazendo uma "sociologia do acontecimento"?*

**J.S.M.** – Não, porque no meu modo de ver essa definição poderia sugerir que uma "sociologia do acontecimento" seria o equivalente da chamada "história do acontecimento". Nesse caso, seria uma sociologia do episódico, o que não centra bem com uma característica básica de meus trabalhos que é a referência à dimensão propriamente histórica dos processos sociais, sua historicidade. O que estou fazendo é uma sociologia da vida cotidiana. Ou seja, com Lefebvre, Heller e outros autores, estou trabalhando a pressuposição de que a vida cotidiana não é um resíduo desprezível da realidade social, histórica, política, cultural etc. Ela domina a vida social no mundo moderno e, ao mesmo tempo, tornou-se mediação fundamental na historicidade da sociedade moderna.

Os grandes processos históricos, até um período relativamente recente, manifestavam-se episodicamente e "em carne viva" na História e tendiam a dominar o interesse dos pesquisadores. No entanto, na sociedade contemporânea o que predomina, o que aparece em primeiro lugar, é a vida cotidiana, o lado aparentemente "morto" da História. Para o homem comum, os acontecimentos do cotidiano são os que ficam na memória, são os que têm "importância". O homem comum no mundo moderno já não aceita ser "vítima" da História e do que, por ser histórico, lhe escapa. Por isso, faz a apologia do que vê e entende, do imediato e do circunstancial, que é o que pode ver e registrar. É dessa forma (alienada) que a História se manifesta no vivido. A densidade e a complexidade da alienação em que as pessoas estão mergulhadas fazem com que o cotidiano seja em sua vida diária, no agito imediato, mais importante do que a presença consciente dos processos históricos.

Aparentemente, o repetitivo, o fragmentário, o episódico constituem toda a realidade do homem comum, constituem a única coisa que tem sentido. No entanto, estamos em face de uma quase completa falta de sentido, o viver aparentemente reduzido a ações e reações que se repetem, num retorno eterno ao mesmo e à mesmice. Acabou a história e a historicidade do homem? Certamente, não. O que parece o mesmo nunca é o mesmo. Qualquer pessoa é capaz de perceber e dizer que "as coisas já não são as mesmas", "já não são como antes". Antes, quando? Agora, no contemporâneo. É o que lhes parece mudar naquilo que na perspectiva propriamente histórica parece permanecer. Essa mudança imperceptível/perceptível é o sintoma dos processos que se agitam nos subterrâneos da sociedade, que não ganham visibilidade no imediato e no episódico, no fragmento. Mas, é neles que a circunstância ganha o sentido e a dimensão do propriamente histórico. A ideia é trabalhar essas duas dimensões do processo social e histórico, que é reconhecer o cotidiano na História e a História no cotidiano, conjuntamente, simultaneamente. Quando falo "na História" não estou falando na disciplina acadêmica, mas nos processos históricos, na historicidade do homem. Portanto, a proposta passa longe do que aparentemente incomoda muitos intelectuais de esquerda, e que está na sua pergunta, que é se no fundo não estamos optando pelo cotidiano contra a História e o propriamente histórico, optando pelo imediato e pelo fenomênico, isto é, pelo aparente e superficial.

***Plural*** – *Você escreveu naquela introdução que o acontecimento é alguma coisa que muda a lógica das estruturas, que você só percebe depois. Você olha o acontecimento do jeito que era, do jeito que ele está se transformando. Isso não é semelhante ao modo que outros autores trabalham o acontecimento?*

**J.S.M.** – Se você está pensando numa "história de acontecimento", uma história reduzida ao episódico, certamente não. Obviamente, não estou anunciando nada novo nem estou, penso, propriamente inovando. Estou apenas anunciando e expondo meu modo de trabalhar, com base num ponto de reparo no imediato e no cotidiano, para decifrar o processo histórico a partir dessa referência e dessa mediação. Não só como referência metodológica, mas também como fardo e alienação.

Claro que nesse meu modo de trabalhar juntam-se as orientações teóricas dos vários autores que se preocuparam com a mesma coisa. Não só o próprio Henri Lefebvre, em seu notável estudo sobre *La Proclamation de la Commune*, recorte de "um dia" na história social francesa, e na referência ao relevo metodológico de "um dia" na vida da cidade de Dublin e da personagem de James Joyce, em *Ulisses*, seu ponto de partida na *Critique de la Vie Quotidienne*. Ou Agnes Heller em suas elaborações teóricas centrais sobre o sujeito particular (e a particularidade) e a tensão histórica na busca da individualidade na desalienação, ainda que parcial. Mas também os sociólogos fenomenologistas, que estão do outro lado na relação com a História, colocando-a entre parênteses. Sugerindo, porém, metodologias de investigação criativas e úteis ao sociólogo que sabe não ser possível lidar com certas dimensões da vida social sem reconhecer, interpretar e devassar o bloqueio do aparente.

O acontecimento e a circunstância não constituem um recorte arbitrário nas recorrências da vida social. Eles constituem adensamentos problemáticos, momentos de impasse em que as contradições profundas e ocultas não podem mais ser contidas e ocultadas. Por isso, enredam os viventes na trama do acontecimento, que pode ser dramático ou trágico. Foi o caso do operário que planejara matar os patrões e acabou matando a mulher que amava (e seu marido), a mulher de um amor impossível, um dos casos que discuto em *Subúrbio*. Nesse caso, as contradições e suas tensões se expressaram como ambiguidade e loucura e as oposições e conflitos das classes sociais apareceram como amor e ódio, comunidade e conflito. O assassinato detonou as circunstâncias da vida do operário e do patrão, suburbana, nem rural nem urbana, revelando suas "camadas", suas diferentes e combinadas verdades, seus "níveis". A historicidade do conflito social se apresentou como tragédia: o caso nos revelou os impossíveis das relações de classes e, ao mesmo tempo, os impasses e bloqueios da História ao lado dos possíveis, ainda fragilizados por uma História que, naquele momento, não podia ser vivida senão como indefinição, incerteza.

Quando me refiro a acontecimento, nos meus trabalhos, estou falando de um ponto de reparo metodológico. Sempre que você faz a pesquisa empírica, tem que transplantar os pressupostos lógicos da sua orientação metodológica para o plano operacional daquilo que você vai investigar e dos procedimentos que você vai adotar na investigação. Quando seu tema de pesquisa pede uma problematização dialética, por exemplo, já define o método explicativo que vai orientar todo o seu trabalho. Nesse sentido, o método de investigação não se destaca do método de explicação. Mas, ao mesmo tempo, eles não se confundem, pois são de fato momentos determinados da atividade científica.

Quando recorro ao acontecimento e à circunstância para tratar de um problema determinado, não empresto os passos e procedimentos de qualquer orientação interpretativa, indiscriminadamente. Ao contrário: pode até haver semelhanças terminológicas, mas minha investigação tem que estar firmemente enraizada na explicação que o problema pede e comporta. É evidente, que num caso como o mencionado várias alternativas seriam possíveis, até mesmo a narrativa ficcional. Mas, apenas uma me permite situar e examinar todas as determinações, todas as mediações, que me revelam exatamente como são e o que são (e quem são) os sujeitos da História nesse momento, seus limites e possibilidades no vir a ser que se abre diante deles. E o que por meio deles sociologicamente se revela sobre a sociedade e não simplesmente sobre o caso.

É o que faz a diferença entre a sociologia e outras modalidades de conhecimento vizinhas ou, mesmo, parassociológicas, que muitos, equivocadamente, julgam ser sociologia e boa sociologia. É o que indica a importância da pesquisa empírica e a fundamental importância, na pesquisa sociológica, da combinação de procedimentos indutivos, além dos dedutivos (e dos transdutivos, acrescentaria Lefebvre, os relativos ao historicamente possível contido na realidade social, mesmo a tensão da temporalidade na vida cotidiana).[2] É o que faz a diferença (enorme) entre o ensaísmo sociológico de fundo filosófico, vício e tendência atual entre sociólogos brasileiros, e a sociologia propriamente dita.

O pensamento especulativo e ensaístico não tem como identificar e descrever explicativamente as singularidades da realidade social. Descamba para o imenso, o abstrato e genérico, para o sociologicamente descabido, improvável. Se você quer mesmo fazer sociologia – porque a sociedade e a consciência social pedem sociologia – é necessário fazer pesquisa empírica e pesquisa empírica inteligente, não a mera e prosaica coleta de dados, que muitos também fazem (muitas vezes sem saber depois o que fazer com eles). Os grandes sociólogos, os clássicos fundamentais da tradição sociológica, fizeram pesquisa empírica: Marx a fez; previu mesmo, e fez, o estudo de caso e a necessidade da monografia preparatória para chegar aos grandes processos sociais; soube interpretar e dar uma dimensão documental a biografias, acontecimentos, relatos, relatórios. Num outro plano o mesmo ocorreu com Durkheim, um mestre no uso dos dados secundários e na reutilização de monografias etnográficas. E o próprio Weber, supostamente tão longe da pesquisa propriamente empírica, fez pesquisa de campo para escrever um livro de sociologia do trabalho.

Nossa criatividade, e nossa competência como sociólogos, se manifesta na capacidade de fazer corretamente a ponte melhor, mais reveladora, entre os pressupostos lógicos da nossa orientação interpretativa e a realidade que vamos investigar. Os pontos de reparo são sempre localizados no tempo e no espaço; eles são o ponto de partida e definem o que alguns chamam de "estratégia de entrada" na realidade social. O sociólogo não "entra" na realidade apenas para observá-la, como o homem comum que nela "entra" apenas para vivê-la. Em várias ocasiões Marx indicou claramente o lugar e o tempo do seu ponto de reparo, como fez quando disse que Londres era o lugar estratégico para observar e estudar o capitalismo. Ao mesmo tempo, em seu projeto ele nos fala da mundialidade do mercado, algo, portanto, espacial e temporalmente muito diferente do ponto tomado como referência para o início da sua investigação e de sua explicação.

Mesmo para os que se julgam revolucionários é pouco provável que a História se lhes apareça inteira, sem acobertamentos. Hoje pode-se aceitar a tese de que, em momentos especiais do processo histórico, a totalidade se mostre ao homem comum de maneira mais completa e mais nítida. Nesses momentos, as possibilidades históricas da vida e do agir cotidianos desvendam-se quase que abertamente à consciência cotidiana. São os momentos de contradições mais agudas, dessas que vêm à tona cotidiana da História de maneira límpida, já se desdobrando na superação, ainda que temporária, da própria vida cotidiana, intervalos de exceção que colocam a vida cotidiana entre parênteses, adensamentos da utopia e da historicidade que nela se propõe.

Mas, o mesmo ocorre com aquelas pessoas que se encontram nos limites da sociedade e nas transições sociais, lugares e momentos de aguçamento da alteridade. Não é necessário ser um intelectual para se dar conta dessas amplitudes. Muitas vezes a fala de camponeses simples ou de operários ingênuos e pobres já é diretamente uma fala explicativa, expressão de momentos em que a simplicidade e a ingenuidade, em face de agudas tensões, negam-se na lucidez do momento, a lucidez que se propõe e escapa ao mesmo tempo. Ao sociólogo cabe apenas desvendar a circunstância historicamente precisa de falas e atos, para captar-lhes o verdadeiro sentido, referi-los às ocultações do processo social.

No caso do operário mencionado, a justiça e os médicos entenderam que, com seu gesto, ele demonstrava estar louco. O sociólogo pode ver, no entanto, que, mais do que louco, ele estava lúcido, tomado pela lucidez dos impasses intransponíveis que lhe revelava o mergulho na condição operária, a partir da condição de artesão, longe da pátria e da família. A morte real de suas vítimas suprimia nelas a ambiguidade vivida da contradição não resolvida. Ele matou nelas o superado momento histórico que personificava, e já não suportava, que não podia ser vivido senão como anomia, mal-estar e sofrimento. E expressa no cinismo dos outros, na amizade falsa e equívoca entre patrões e operários, ricos e pobres, a modernidade era para ele insuportável, como também o era a cotidianidade, que se anunciavam tenuamente.

Mas, normalmente, cotidianamente, a História não existe pura em nossa vida. Não aparece para a gente. O que aparece para nós é a fantasia da História, a fabulação do tempo que flui, mas não parece fluir senão no episódico, no anômalo, no trágico. O sociólogo precisa saber lidar com a contradição da História ocultada na aparência de falta de História. Ou mesmo do drama vivido como tragédia.

Insisto nesse ponto. Não estou propondo nem "praticando" história do acontecimento em substituição a uma história concreta, dialética. Estou mostrando que na história concreta, não há dialética sem sua expressão que é o acontecimento, o episódio, o momento. Trabalho com a mediação do momento e, portanto, com o aparecer da História como ponto de interrogação e de investigação. Não o faço para descartar em seguida o momento, o episódio e o acontecimento. Eles são modos concretos do viver, constitutivos da consciência dos protagonistas dos processos sociais. O que aparece, não aparece apenas, mas também é.

***Plural*** – *Agora, qual é a relação que tem essa abordagem com a Escola Francesa, que lida com acontecimentos, com momentos?*

**J.S.M.** – No meu modo de ver, como disse antes, não há nenhuma relação entre a chamada "histoire evenentiel" e essa concepção sociológica do acontecimento como momento do método de investigação.

***Plural*** – *Nenhuma relação?*

**J.S.M.** – Um problema nas Ciências Sociais é justamente o risco do equívoco no uso das palavras, dos rótulos e até dos conceitos e noções. Isso aconteceu com o conceito de *estrutura*, um conceito fundamental na sociologia. É evidente que estrutura na perspectiva funcionalista é uma coisa e estrutura na perspectiva dialética é outra coisa. Apesar de todos saberem que o método de explicação adotado pelo pesquisador é o referencial definidor do sentido do conceito, sempre há alguém querendo polemizar e questionar; há sempre alguém em dúvida sobre o que o conceito quer dizer. O mesmo acontece com a noção de *função*. Equivocadamente, muitos especialistas acham que função é noção privativa da sociologia funcionalista. Mas, a ideia está lá em Marx também, ainda que com outro alcance e outra concepção. Pois, ele incluía na sua análise o problema das reiterações: as funções são reais. Portanto, a concepção de acontecimento, que já pressupõe sua dimensão metodológica, pode ter diferentes significados e abrangências. Não é necessário que ela se reduza ao "evenentiel", apesar de haver uma corrente na historiografia francesa que tenha feito dela a referência de uma concepção da História (e da historiografia) e, portanto, de uma certa concepção de totalidade, que eu chamaria de instrumental, na história das mentalidades. São desse tipo, penso eu, belos estudos do historiador italiano Carlo Ginzburg, como *O Queijo e os Vermes (O cotidiano e as ideias de um moleiro perseguido pela Inquisição)*,[3] em que o autor toma o processo contra Menocchio como referência para fazer a etnografia das ideias de uma época; ou como *Il Giudice e lo Storico (Considerazioni in margine al processo Sofri)*,[4] este um caso, de 1988, envolvendo seu próprio amigo Adriano Sofri, condenado a 22 anos de prisão pelo assassinato político de um policial. Aí o autor mostra o que, no fundo, é o processo de gestação do bode expiatório na própria justiça institucional e moderna (já não estamos nos tempos da Inquisição!) num caso particular que revela e expõe as vicissitudes do todo.

Há algum tempo, depois de uma conferência em Recife, uma conhecida minha, competente professora universitária, manifestou seu mal-estar porque eu falara em sociologia fenomenológica. Marxista, para ela a palavra fenomenologia diz respeito a um estrito modo de pensar do "inimigo", como se nas Ciências Sociais a esdrúxula concepção de "inimigo" fosse um pressuposto epistemológico. Disse a ela que o desdém pelos aspectos propriamente fenomênicos da realidade social, mediações do processo histórico, representa a opção por uma concepção de história, e de tempo histórico, mutilada e falsa. É claro que há uma dimensão fenomênica na realidade social, que pode até mesmo ser tratada à parte pela sociologia fenomenológica. Há nela toda a essencial dimensão do cotidiano, que bons e competentes sociólogos marxistas perceberam há mais de meio século. Na ciência, não há nem pode haver lugar para o fascismo da impugnação, que infelizmente ainda domina a ação e o trabalho de pesquisadores e estudiosos que se dizem de esquerda (mas, também, domina a ação e o trabalho dos que se dizem de coisa nenhuma, ou melhor, os protagonistas do poder acadêmico). A verdadeira dialética não impugna nada, ela investiga e explica.

***Plural*** – *O que é esse princípio da impugnação?*

**J.S.M.** – É o princípio de que todo intelectual de esquerda fiel às ideias e premissas de sua opção política é também um censor das ideias diferentes e, mesmo, divergentes. O impugnador é muito parecido com o inquisidor, pois se supõe personificação do mandato da verdade teórica e histórica. É quase sempre muito penoso tentar uma troca de ideias com essas figuras, pois fica-se com a impressão de que se movem num terreno minado, escolhendo cuidadosamente o trajeto, menos em função da verdade científica do que em função da ortodoxia, do policiamento ideológico e da censura. Em função de suas próprias limitações, também. A ciência não nasce nem se desenvolve a partir dessa atitude e dessa concepção de conhecimento.

Assim como não se deve descuidar da extração teórica que dá sentido a um conceito, uma noção, um procedimento, também não se deve impugnar seu emprego para alargar o entendimento que se possa ter de uma situação, um caso, um acontecimento.

***Plural*** – *Também em* Subúrbio, *você argumenta que a história local é uma história de acidentes. Ela é feita num tempo lento, com atraso em relação à história contemporânea. Numa outra passagem você fala do subúrbio como um local de repetição, de reprodução e não de criação do novo. Mas, se a indústria, os operários, as tensões sociais estão localizados no subúrbio, então quem são os atores da produção e onde está a criação do social? E, da mesma forma, o que é esse contemporâneo em relação ao qual a periferia está sempre em atraso?*

**J.S.M.** – Em nossa tradição de esquerda, que é muito frágil, difundiu-se a suposição equivocada, e nem um pouco marxista, de que só o operário faz a História e de que a fábrica é o cenário privilegiado da ação operária e da revolução. A consciência verdadeira seria, assim, a consciência operária. Isso é relativamente verdadeiro só em termos filosóficos. O operário está no centro da teoria da História, de Marx, como observou Heller, enquanto sujeito filosófico, sujeito de conhecimento, referência do conhecimento. Um sujeito que não coincide necessariamente com o operário do processo de trabalho, aquele do cotidiano de repetições da exploração invisível que se materializa no processo de valorização do capital, o operário das carências não radicais da sobrevivência e da reprodução social. O próprio Marx já havia demonstrado, cientificamente, que há uma enorme distância entre o sujeito filosófico e o sujeito da revolução. Por que? Porque entre um e outro se interpõem as mediações, as muitas relações sociais intervenientes no elo entre a vida e a consciência, os símbolos, que levam da extração da mais-valia à sua realização, as invisibilidades que nutrem o autoengano da alienação e do repetitivo.

Não há a menor possibilidade sociológica de que o operário se reconheça como explorado no próprio ato da exploração. A consciência da exploração depende de que o trabalhador se reconheça no fruto alienado da exploração e de que nesse reconhecimento possa reconstituir os nexos e os passos que distanciaram de seu trabalho, e de sua pessoa, o fruto produzido. Se não foi o único artífice desse produto, como é próprio da fábrica e da produção modernas, deve enfrentar a dificuldade adicional de reconhecer-se antes como membro do trabalhador coletivo que executa o trabalho, um trabalhador que só adquire corpo e rosto em circunstâncias históricas específicas. O mais do tempo ele é pura abstração e suposição. A produção, e a exploração em que ela se baseia, tem um de seus momentos importantes na fábrica, nas mãos vivas dos operários, mas também na matéria morta das máquinas. Só que não é aí que a produção e a exploração ganham sentido. A produção fabril em si mesma não tem nenhum sentido, senão como extenuante rotina, repetição de gestos, de movimentos, de usos do corpo, o que em si mesmo já é completa falta de sentido: o que o gesto, o movimento, o corpo produzem? Nada que fique, nada que entre na vida do operário: o salário é apenas uma contrapartida de toda essa falta de sentido.

A mais-valia extraída na exploração do trabalho realiza-se quase sempre longe do local de trabalho. Se os compradores fossem comprar na porta da fábrica, à vista dos operários, então estes teriam alguma oportunidade de compreender o que é que os separa de seu produto: a mais-valia sob a forma de lucro, que se concretiza nas mãos do patrão. Mas, as coisas não são assim. E menos o são na medida em que a concentração fabril em áreas, territórios e regiões específicos e especializados abriu um abismo espacial entre a produção da mais-valia e sua realização. Sem contar a própria fragmentação da mais-valia em lucro, juro e renda, o que indica a completa impossibilidade de sua personificação numa figura concreta e identificável.

Esse é o primeiro atraso, o atraso entre a produção da mais-valia e sua realização: as possibilidades sociais, culturais, políticas e históricas criadas pela mais-valia realizam-se descompassadas em relação à produção, a quem produz e ao local da produção. A mais-valia não se realiza apenas como lucro, como capital e como capitalismo. Ela se realiza simultaneamente naquilo que o dinheiro pode comprar e viabilizar. Portanto, ela se torna real no âmbito do uso da riqueza adicional que representa. Ela é parcialmente capturada pelas mediações, por aqueles que vivenciam e personificam as mediações: a burguesia, mas também a classe média, todos os intermediários, do comércio aos serviços. Ao longo do caminho entre quem produz e quem consome, a riqueza criada vai sendo parasitada, distribuída, usada.

A sociedade contemporânea distribuiu espacialmente quem produz e quem consome. Foi o mundo industrial que criou a periferia em todas as partes, que fez da classe trabalhadora uma classe espacialmente residual, relegada aos espaços inferiores das terras baratas, dos territórios poluídos e pobres de infraestrutura, de serviços, de bens públicos, de equipamentos culturais. A acumulação, não sendo unicamente acumulação de capital enquanto capital, se dá onde a mais-valia se realiza, como acumulação também de bens e serviços, de cultura, de consciência. Se a acumulação de capital não é apenas crescimento econômico, mas também transformação social, os primeiros momentos da transformação se dão longe do local da produção e do trabalho. Ali chegam residualmente, ocasionalmente, acidentalmente. Um bom exemplo é o de que a cultura acadêmica, literária e artística e, portanto, a consciência histórica que ela representa, chega aos lugares de trabalho e de habitação de quem trabalha por interpostas pessoas, por mediações e lentidões, e não como súbita expressão do próprio ato de trabalhar. E, mesmo assim, não fica assegurado que o trabalhador possa ou queira se apropriar desses modos de "materialização" dos resultados do trabalho do trabalhador coletivo de que é parte.

Nesse sentido, o local (e a localidade) de trabalho tende a ser um local de carências. Não porque crie necessariamente a pobreza material de quem trabalha (o subúrbio industrial, até entre nós, de uns anos para cá, tende a ser um local de bem-estar material, de afluência). Mas, porque cria a carência de relação imediata e direta entre a produção e a realização da riqueza; porque cria a consciência mistificada necessária à legitimação da exploração de quem trabalha. Cria, portanto, a base das distorções na recepção dos benefícios extrassalariais da exploração do trabalho. Chega mais fácil a mistificação religiosa, a crendice fundamentalista, a crendice animista, a cultura residual da tralha eletrônica, o populismo, do que a literatura, as ciências sociais, o discernimento mediado pelo conhecimento erudito e esclarecedor.

A criação social está, portanto, no que não se repete, mas também, ocultada, no que se repete. Ela está na práxis que recria e inova ao mesmo tempo. Hoje a práxis não está necessariamente alocada a um grupo social particular; o proletariado já não tem o monopólio da História. Houve tempo em que ele personificava melhor o anseio de transformação, não porque percebesse melhor, mas porque sofria mais, mergulhado nas misérias da pobreza absoluta. Não lutava porque o próprio trabalho lhe desse ampla e clara consciência da exploração. Lutava porque o salário inferior ao vital lhe mostrava todo o tempo que havia violência no trabalho. Porém o capitalismo desenvolveu mecanismos poderosos de mistificação da pobreza e de manipulação das fantasias que circundam a realidade de quem faz o trabalho diretamente produtivo.

Marx mostrou que o capital gerou o trabalhador coletivo, ele próprio com seus membros distribuídos em diferentes lugares do espaço. Alguns mais perto dos pontos de realização da mais-valia, outros mais longe. Há, portanto, uma espécie de geografia da práxis, uma espacialidade da práxis, mais visível onde a mistificação é menor e menos eficiente. Mas, não necessariamente onde a capacidade de luta é maior.

A criação social e sua necessidade vão se apresentando, pois, a diferentes setores da sociedade, nesses pontos de desencontro, a diferentes grupos e classes sociais, conforme a circunstância e o momento. Não necessariamente nem prioritariamente no subúrbio e na fábrica. No descompasso entre a produção, e portanto a possibilidade da criação social, e a realização da riqueza criada, entre o que ela é e o que ela viabiliza, a multiplicação de mediações ralenta, torna lenta, a chegada dos desafios da História e sua consciência aos lugares que tornaram a História possível.

***Plural*** – *Então, quer dizer que o espaço da criação, do surgimento do novo está no plano das artes, no plano daquilo que a gente chama comumente o plano cultural?*

**J.S.M.** – Como sugerem e demonstram Lefebvre e Heller, a revolução implica em *mudar a vida*. A revolução de modo algum se confunde com o golpe de Estado, com a chamada "tomada do poder". Como já se viu, é possível tomar o poder e não revolucionar nada. Ou melhor, a sociedade toma o poder quando arrebata do Estado direitos e possibilidades, e também responsabilidades, que lhe foram confiscados por ele, quando assume e realiza por si mesma, sem intermediários, a compreensão e a gestão de suas necessidades. Isso implica em profundas mudanças na vida, isto é, no viver, no modo de viver. É aí que se situa o núcleo da criatividade social, da invenção do novo a partir das possibilidades abertas pela práxis. Não nos esqueçamos de que, para Marx, a História é a história da constituição do humano, do gênero humano, da humanização do homem, da sua libertação em relação às carências e necessidades decorrentes de sua dependência da natureza e de sua própria natureza. Para Marx, a revolução é o ato de apropriação das condições de vida pela sociedade em nome das possibilidades do gênero humano.

A História, isto é, a criação social, se cumpre na práxis que emancipa o homem dessas limitações e dessa pobreza. Ela não é simplesmente, nem principalmente, produto dos automatismos e do progresso técnico promovidos pelo desenvolvimento das forças produtivas. A criação social depende de que o homem se aproprie de seu destino, de algum modo, ainda que limitado, segundo as possibilidades do momento histórico. O homem se produz na História, produzindo sua sociedade, suas relações sociais, insurgindo-se contra os poderes que o subjugam: a dominação e o cerceamento políticos, a pobreza, os bloqueios no acesso às grandes inovações culturais referidas à universalidade do gênero humano.

Toda apropriação das conquistas do gênero, toda luta contra sua privatização, contra sua conversão em privilégio, é revolucionária e transformadora. Toda luta pela educação de boa qualidade, pela escolarização, pelo acesso ilimitado aos bens culturais, aos monumentos reais e simbólicos, é uma luta revolucionária e libertadora. Todo corporativismo sindical no âmbito da escola, toda luta na escola reduzida ao tema do salário, toda recusa dos docentes em incrementar seu próprio acesso à cultura, toda picaretagem educacional, é fascista e reacionária: não emancipa nem liberta o homem, nem mesmo, obviamente, o professor, porque não educa o educador nem faz da educação o objetivo primeiro e fundamental do educador. Toda depredação do patrimônio cultural, todo vandalismo, toda conivência com o vandalismo em nome de demagógica democratização dos espaços da cultura e da emancipação, é reacionário equívoco. Daí não nasce revolução alguma, mudança alguma no modo de vida de todos: nasce a barbárie, o retrocesso, a depredação do processo histórico. Todo ato de luta contra a pobreza, contra a exploração de quem trabalha, contra a privação de vida e dignidade, é um ato em favor da mudança na vida, é um ato revolucionário. De modo que o novo e a inovação se põem diante de cada um de nós de diferentes modos e sob diferentes temas. A responsabilidade da História é responsabilidade de diferentes sujeitos históricos e não de um só. Portanto, as possibilidades da História e do novo não estão só nem principalmente no subúrbio, mas também estão lá, de um modo específico.

O espaço da produção material não é necessariamente o espaço da criação social. Em ambos há, de modos distintos, demandas de inovação, mas também rotinas de reprodução, de repetição. Varia em cada um o alcance, o modo e a intensidade da criação social. A fábrica é essencialmente o lugar da repetição porque é, ao mesmo tempo, o lugar essencial da produção (isto é, da criação do novo) e do acobertamento da produção. Não é por acaso que nos municípios mais caracteristicamente operários aqui da região metropolitana de São Paulo predomine a direita e não a esquerda.

***Plural*** *– Pelo fato de ser um lugar da reprodução?*

**J.S.M.** – Por ser o lugar em que a reprodução não cobra visibilidade no seu contrário, na produção, na acumulação. A acumulação e as decisões sobre o que fazer com ela, que direção lhe dar, estão em outra parte, tornam-se visíveis e ativas em outros lugares. Todo o cinturão industrial de São Paulo, e não só o ABC, está e tem estado, com uma ou outra exceção, nas mãos de partidos populistas ou de direita. É que a fábrica não cria só o operário nem faz do operário, no cotidiano, sujeito de criação. A fábrica é basicamente lugar original de produção da alienação, do conformismo e do medo. A força criadora da riqueza, que poderia romper esses bloqueios e deformações, não retorna senão lentamente ao local de sua origem, manipulada, deformada também ela. Justamente por isso as lutas sociais consequentes são geralmente mediadas por alguma coisa que não é da fábrica, mas do espaço entre a produção e a realização da mais-valia.

***Plural*** *– A periferia, o subúrbio são o "não-centro" e no centro está o contemporâneo. O que é esse contemporâneo em relação ao qual o subúrbio está em atraso, o Terceiro Mundo está em atraso, o operário está em atraso?*

**J.S.M.** – Basicamente, essa é uma tese de Lefebvre. A sociedade atual não é constituída de uma temporalidade única. O contemporâneo é a contemporaneidade dos tempos históricos, das vivências desencontradas porque situadas diferencialmente no percurso da História. A sociedade contemporânea se desenvolve em ritmos desiguais: a agricultura caminha mais devagar do que a indústria, o proletariado mais devagar do que a burguesia, os trabalhadores mais devagar do que os intelectuais: os acadêmicos debatem a pós-modernidade enquanto os operários da periferia disputam, no sacrifício pesado dos juros altos e das prestações mensais, modestos signos do moderno e da modernidade, como a televisão, a geladeira, o liquidificador. Muitos nem mesmo chegaram ainda ao mundo da escrita e do livro, enquanto em outros pontos da sociedade dizem que o livro já é obsoleto e está sendo superado pela tela do computador.

Nos lugares em que a produção da riqueza chega apenas residualmente, sob a forma de salário e, muitas vezes, de baixo salário, como é o caso da periferia industrial, que são os lugares em que se trabalha, a população vive num tempo que está retardado em relação às possibilidades históricas e sociais criadas pela produção capitalista da riqueza. É o atraso do real em relação ao possível, de que fala Lefebvre.

***Plural*** – *Em seus trabalhos sobre o campo, você também usa essas noções de temporalidades diferentes. Quais são as especificidades da aplicação dessas noções nos diferentes contextos– o urbano e o rural?*

**J.S.M.** – Urbano e rural não são realidades substantivamente diversas. A metrópole paulistana é amplamente rural nos costumes dos bairros, sobretudo pobres, no modo de habitar, no modo de circular (vocês já repararam que nos bairros, e mesmo no centro, as pessoas preferem transitar pelo meio da rua em vez de transitar pela calçada? O meio da rua é para elas rural, é o caminho, a vereda, em que é preciso evitar as beiras, os lugares perigosos, de contacto com o mato; a calçada é urbana, mas deslocada, usada como depósito de entulho, de materiais de construção, de acesso de carros: não como lugar de trânsito das pessoas). O urbano está no rural, de muitos modos: o rádio, o carro, a antena parabólica, o avião. Os espaços se encurtaram, num certo sentido, mas o descompasso permanece.

Marx já havia demonstrado o atraso do campo em relação à cidade. Sua teoria da renda da terra tem como premissa esse atraso. É o que lhe permite pensar na composição orgânica diferencial e baixa do capital na agricultura em relação à indústria, onde ela é alta. É a diferença de composição orgânica do capital na agricultura e na indústria que, ao produzir um excedente de valor na agricultura, permite ao proprietário de terra cobrar da sociedade inteira uma renda territorial deduzida da massa de mais-valia extraída pelo capital no conjunto da sociedade. No interior de cada uma dessas realidades, as respectivas temporalidades são ainda diversas.

A temporalidade dos processos sociais vividos pelo pequeno agricultor familiar mergulhado na produção mercantil simples é determinada em grande parte pela produção direta dos meios de vida. As crises e contradições do capital lhe chegam, quando lhe chegam, atenuadas ou mascaradas, indiretamente. É entre eles que as crises têm outra origem, na expropriação, por exemplo, e se resolvem de preferência nos movimentos milenaristas e messiânicos. Nas áreas urbanas, entre os que não estão diretamente inseridos na produção e no salário estável, como é o caso das grandes massas subempregadas ou desempregadas, a consciência da inserção social tende a ser anômica, como tendem a ser anômicas suas lutas e demandas. A temporalidade aí é a da sobrevivência e da luta pela sobrevivência, do arrefecimento dos vínculos propriamente sociais, da deterioração dos valores sociais e da moralidade coletiva, etc. É um tempo pré-capitalista, mas diferente do tempo do camponês que, na pior das hipóteses, o que vivencia ainda não é sua completa exclusão, mas a ameaça e o processo da exclusão.[5] A temporalidade histórica dessa inserção é diversa da do operário, que é a inserção do contrato, da impessoalidade nas relações sociais, etc. O tempo histórico tem aí uma data conhecida: a igualdade jurídica, a Revolução Francesa, o Iluminismo. Essas temporalidades diferentes e desencontradas entre si no mesmo processo de produção e reprodução da sociedade contemporânea respondem, por exemplo, pela mais clara compreensão que tem do capitalismo os camponeses do que os operários, uma consciência do passado para o presente. Em compensação, a temporalidade própria da condição operária responde pela possibilidade da consciência do possível, da superação das relações de produção pela reconciliação entre igualdade jurídica e igualdade social, coisa que nos camponeses tende a se reduzir à utopia e utopia milenarista.[6]

***Plural –*** *Você acha que o trabalhador do campo tem uma maior possibilidade de...*

**J.S.M. –** ...de compreender algumas coisas que conformam a alienação. Os camponeses vivem sob a ameaça da expropriação, porta de entrada da exploração e das relações capitalistas de produção. Para eles o capital e o capitalismo aparecem como totalidade e como antagonismo, mesmo quando figurados como entes míticos e maléficos, como é o caso da figuração da propriedade como Besta-fera. O operário já não tem a possibilidade de uma compreensão assim abrangente. Ele já entrou na rotina da reprodução, já foi engolido pelo capital, já não pode vê-lo em perspectiva. Um operário, no subúrbio ou na periferia, praticamente cresce dentro da fábrica. Seu corpo e sua mente são componentes da máquina e do processo de trabalho.

***Plural*** *– Você acha que isso é uma especificidade do Brasil ou o marxismo em geral errou ao atribuir à classe operária a vocação revolucionária e associar o camponês ao conservadorismo?*

**J.S.M.** – No geral o marxismo errou ao fetichizar as categorias de operário e camponês e ao considerá-las categorias fixas, imutáveis. A designação "operário" permanece a mesma há mais de cem anos, mas o operário não é mais o mesmo nem é o mesmo em todos os lugares. É o que também ocorre com os camponeses. É curioso que os marxistas não tenham prestado atenção à razoável diversidade da concepção de "camponês" em diferentes obras de Marx. Por motivos que não estão claros, preferiu-se transformar o camponês de *O Dezoito Brumário de Luís Bonaparte* num clichê e raciocinar a partir do clichê e não a partir da análise ali contida. O próprio Marx não tinha muita certeza a respeito dos rumos históricos de sociedades em que prevaleciam ainda populações camponesas, como era o caso da Rússia de seu tempo. Foi o que ele revelou expressamente nas três versões da carta, de 1881, que acabou não enviando à militante populista russa Vera Zasúlich, que lhe dirigira uma consulta específica sobre o assunto.[7] Por outro lado, como mostrou José Aricó, um competente marxista argentino, em seu livro *Marx e a América Latina*,[8] Marx conhecia mal a realidade latino-americana, constituída por sociedades de dominância camponesa, dependente do latifúndio, o que se pode ver facilmente pela má qualidade das fontes secundárias que utilizou em suas análises.

Há alguns anos, o historiador italiano Franco Venturi publicou um excelente livro sobre os populistas russos,[9] que expressavam a experiência, o modo de vida, a mentalidade e a busca social e política dos camponeses. Utilizando documentos da Biblioteca Lênin, de Moscou, até então interditados à consulta dos pesquisadores, ele pôde descobrir a riqueza de alternativas sociais e políticas representadas pelo campesinato russo, e pelos populistas, que foram combatidas pelos bolcheviques. Vetadas pelos comunistas, quando no poder, foram os camponeses tratados como inimigos e perseguidos, reprimidos e massacrados: só havia uma verdade, a da vocação revolucionária do proletariado. Essa "verdade" através dos mecanismos de controle internacional do Partido Comunista da União Soviética foi imposta a todos os países a que pôde estender sua influência, inclusive a países não industriais. Uma boa crítica teórica dessas concepções foi feita por Chantal de Crisenoy.[10]

Ao mesmo tempo, nas fileiras da esquerda tornou-se tabu até mesmo aventar-se a hipótese de que muitos setores do proletariado poderiam ser fascistas. E foram. No caso brasileiro, nunca ficou evidente que o operariado fosse irresistivelmente socialista e é proibido falar disso nos grupos de esquerda. Ao mesmo tempo, os militantes têm calafrios quando alguém menciona a comprovada história populista da classe operária brasileira, mesmo na região do ABC.

Uma boa indicação desses equívocos está no fato de que o principal movimento de esquerda no Brasil de hoje é o Movimento dos Sem Terra, no qual pegam carona os operários, as centrais sindicais, todos os protagonistas das revoluções frustradas. Sem um pingo de consciência crítica e, em alguns casos, até sem um pingo de vergonha. Sequer reconhecem que essa "anomalia" exige de quem é sério uma ampla revisão crítica das próprias concepções, das doutrinas, das teorias e da prática. Nem sequer se dão por achados em face de análises, como as minhas, que já nos anos setenta e oitenta chamavam a atenção para a emergência de um novo sujeito histórico no cenário brasileiro, contra as "verdades" oficiais. Sobre essas análises caíram impiedosamente por meio de observações críticas sem fundamento sociológico e de silêncios impugnadores.

De novo aqui, relembro, que o papel revolucionário da classe operária decorre da sua condição de sujeito de conhecimento. Como observou Agnes Heller, num curso na PUC de São Paulo, retomando tema de sua obra, a classe operária da obra de Marx é uma classe teórica.

***Plural*** – *Então, seria mais adequado falar em atraso do operário em relação ao camponês, porque o camponês estaria num outro registro, que não seria o do atraso?*

**J.S.M.** – Não. Como eu disse antes, quando o capital invade a vida do camponês, não recorre nem precisa recorrer a mecanismos de escamoteamento da violência que está praticando. Porque esse camponês não está sendo incorporado, nesse ato, ao processo reprodutivo do capital. Ele está vivendo o momento da acumulação primitiva e, portanto, o momento da desagregação, do fim. Para o camponês atingido fica claro o que é a expropriação, um dos momentos do processo de gestação, de produção e reprodução ampliada do capital. Mas, esse momento não lhe revela nem pode revelar o essencial da reprodução capitalista do capital: a exploração, a extração da mais-valia. Esse outro momento é o momento vivido pelo operário.

Na exploração, o destino do operário é incorporado ao destino do capital. Ao mesmo tempo, essa incorporação depende de que ele não tenha uma relação objetiva e crítica com o processo do capital. Por isso, a exploração não o priva apenas do trabalho excedente em relação ao trabalho necessário. Priva-o também da clareza em relação ao que está acontecendo, ao confisco do tempo de trabalho excedente. O processo de valorização do capital implica em tornar o trabalhador conivente com a exploração que sofre. Ele deve legitimá-la para submeter-se a ela. Desse modo, ele perde a visibilidade do processo em que está envolvido. Mas, essa perda de visibilidade, que o faz reconhecer-se como juridicamente igual e o torna economicamente desigual, o coloca, ao mesmo tempo, em face da contradição que se encerra na sua exploração. Sua inserção na produção capitalista o insere na produção social e o torna vítima da distribuição desigual dos resultados da produção social e da apropriação privada dos resultados da produção. Dependendo do modo como as circunstâncias históricas e a conjuntura se compõem e se combinam para ele, numa situação social determinada, é ele quem tem a maior possibilidade de compreender o verdadeiro sentido social desse desencontro. Tem maior possibilidade de compreender, mas isso não quer dizer que necessariamente compreenda, pois se defronta cotidianamente com mecanismos de ocultamento do que o subjuga. Ao mesmo tempo, é a produção social que anuncia a superação da apropriação privada e não o contrário, como ocorre na consciência camponesa, pois é impossível reverter historicamente o capitalismo à produção mercantil simples.

Esses complicados mecanismos de diferenciação social e de diferenciação de possibilidades históricas pedem uma explicação sociológica, pedem uma compreensão mais abrangente e objetiva do que aquela que o marxismo possa oferecer quando se torna necessário destacar a relevância das mediações e de seus ocultamentos. Desde muito cedo, Florestan Fernandes assinalava a diferença de recursos, de alcance e de compreensão entre a sociologia e o marxismo na explicação da realidade social. Dizia ele que a sociologia é mais completa do que o marxismo.[11] Especialmente, digo eu, se pensarmos na pobreza do chamado marxismo vulgar, que constantemente assedia a universidade, um marxismo muito distante da riqueza do pensamento marxiano, mais razão temos para um grande cuidado no seu emprego. Além disso, as disciplinas parcelares das ciências sociais, como a antropologia e a sociologia, desenvolveram-se muito desde o século XIX, abriram perspectivas refinadas de compreensão da realidade social, especialmente de seus processos de reprodução social. No mínimo, um amplo diálogo com suas possibilidades pode ajudar a uma melhor compreensão sociológica da complexidade do social.

Isso não significa abrir mão do método de Marx. Ele pode ser incorporado pela sociologia e tem sido, com grandes vantagens explicativas, mais completas, mais abrangentes. Sobretudo a referência da concepção de totalidade abre caminho para melhor apreensão dos dinamismos sociais, confinados a um lugar residual na tradição positivista, como mostrou Adorno.[12]

***Plural*** – *Quando você está falando da diferença entre marxismo e sociologia, você está falando desse marxismo de manual?*

**J.S.M.** – Eu estou falando positivamente do marxismo do diálogo crítico com as ciências sociais, em particular com a sociologia, que foi marca da "escola sociológica de São Paulo". Estou levando em conta, também, a riqueza de possibilidades da sociologia de Marx, destacada e trabalhada por um filósofo e sociólogo (aliás, sociólogo rural) do porte de Henri Lefebvre. Justamente, a alienação e o reprodutivo são as características da sociedade contemporânea que propõem a sociologia no lugar do filosofismo. Portanto, estou falando negativamente do marxismo de manual, das receitas quase culinárias sobre as transformações sociais.

***Plural*** – *Então, essa é exatamente a diferença, a sociologia vai se apropriar de um método e não de um manual de instruções.*

**J.S.M.** – Apropriar tem um sentido figurativo nesse caso. Na obra de Marx não há uma sociologia estruturada como em Durkheim. Por isso, fica-se sempre com a impressão de que a sociologia nasceu depois de Marx e, em alguns casos, se apropriou da obra de Marx ou de seu método. Porém, há em Marx uma ciência social, a proposta de uma ciência social não parcelar, pois é parcelar a sociologia, a antropologia, etc. Muitas das reflexões de Marx o aproximam da antropologia que conhecemos hoje. Outras sugerem que há em sua obra um "território" de indagações e de procedimentos claramente sociológicos. Não só na proposição de problemas fundantes de uma sociologia marxiana, mas também nas variantes e detalhamentos do método dialético, desde a "enquete ouvrière"[13] até o estudo de caso e a história de vida (em especial o texto sobre Lord Palmerston[14]). Como mostrou Henri Lefebvre em seu livro fundamental, *Sociologia de Marx*, há em Marx uma sociologia em que o fragmentário e parcelar do que veio a ser depois a sociologia propriamente dita é proposto como ponto de reparo e de partida na análise sociológica, que se completa por meio dos percursos investigativos e interpretativos que levam à contradição e de novo ao aparente, situado e explicado. Não é uma sociologia que invalide o funcionalismo em Durkheim ou a compreensão em Weber nem é uma sociologia que lhes seja complementar. É a sociologia que se impõe quando o sociólogo se defronta com temas e situações que reclamam o reconhecimento do lugar essencial da historicidade nos processos sociais observados. O método está no centro dessa sociologia, como, também, o método está no centro da sociologia daqueles outros dois clássicos do pensamento sociológico.

O que se trata de evitar é, portanto, a rotulação, a conceituação vazia, como a de aplicar a noção de modo de produção a um grupo tribal do Centro-Oeste brasileiro, apenas contactado, somente porque o cientista social fez da dialética um motivo de fé mais do que motivo de descoberta, indagação, investigação.

***Plural*** – *Vamos falar sobre linchamentos. Em seus artigos,*[15] *você tem argumentado pela existência de um sistema de valores que orienta essas práticas violentas e conforma mesmo uma mente conservadora, que está se manifestando aí. Pensando nesse sistema de valores, nós queríamos te fazer uma provocação: para combater o crescimento dessas ocorrências de linchamentos seria então necessário promover uma "aculturação" dessa população conservadora?*

**J.S.M.** – Certamente não é essa minha visão do problema. Não é tarefa do sociólogo combater os linchamentos. Ele pode lamentá-los, e deve, no retrógrado que são como forma de punição vingativa.

Mas, essa certamente não deve ser a motivação para estudá-los e para tentar chegar às suas causas e condições. Obviamente, eu me inquieto com o alto número dessas ocorrências violentas, dessas formas de justiçamento popular. Elas são indicativas da persistência e disseminação da barbárie, da fragilidade das instituições da civilização, como a justiça e o direito, em uma sociedade como a nossa. No começo, eu imaginei que os linchamentos constituíam um fenômeno relativamente recente e temporário, talvez desencadeado pela ação dos chamados esquadrões da morte em São Paulo, no Rio de Janeiro e na Bahia, os estados que mais lincham. Isso indicaria a vulnerabilidade da sociedade a rupturas vindas de cima, do aparelho de Estado, durante a ditadura. Depois, foi possível comprovar que os linchamentos são um problema social endêmico na sociedade brasileira: eles são constantes e crescem lentamente em número nos últimos cinquenta anos, chegando num certo momento à média de uns três linchamentos por semana. Certamente, estão relacionados com o caráter predominantemente ritual da justiça brasileira, mais formal do que substantiva, e, sobretudo, relacionados com a ineficiência dos aparelhos de polícia e de justiça. Além disso, os linchamentos sugerem que na mentalidade popular há um claro questionamento da parcialidade estamental das nossas polícias e da nossa justiça, do seu caráter de classe. Por isso, é possível encontrar uns 15% de casos de linchamentos e tentativas de linchamento de pessoas ricas e de elite, mesmo autoridades, quando, obviamente, sabe-se que ricos e poderosos raramente vão para a cadeia, ainda que autores de crimes mais graves do que os cometidos por muitos presos comuns.

Interessei-me pelos linchamentos porque já estava estudando movimentos sociais no campo e precisava de uma referência comparativa de comportamento coletivo para não fetichizar os movimentos sociais e poder situar historicamente o protesto popular em seu conjunto. Os movimentos sociais têm uma dinâmica qualitativamente idêntica à de outras formas de comportamento coletivo, embora haja diferenças significativas entre aqueles e estas. Nos movimentos sociais que tenho acompanhado e estudado há muitos ingredientes de comportamento coletivo, o que aliás já estava suposto pelos primeiros estudiosos do tema.

Embora haja um núcleo de formulações teóricas que me levem a considerar essas formas de comportamento em grande parte como resultados de circunstâncias preferentemente súbitas, os dois mil casos de linchamentos que estou estudando sugerem que a maior parte deles têm outra origem e outra dinâmica. A maioria é praticada por pequenos grupos e não raramente resultam de algum amadurecimento da necessidade dessa forma de justiçamento.

O fato de que uma proporção alta de casos corresponda a linchamentos praticados nas prisões, por presos muitas vezes condenados por crimes de sangue, também sugere que há neles algo mais do que um agregado de fatores subitamente constituído. No caso dos presos, as vítimas de linchamentos são geralmente os autores de estupros, sobretudo estupros de crianças e grávidas. Há, portanto, um elenco intransponível de valores até mesmo para os criminosos, que justifica o linchamento. Há crimes intoleráveis e são justamente aqueles que mais claramente comprometem a própria concepção do humano: estupros de crianças, violência incestuosa.

A população livre que lincha na rua, não raro dá indicações de agir levada por motivações semelhantes, em virtude de uma certa ideia de justiça, do que é justo e do que não o é. Numa sociedade em que os códigos, as leis e o direito são de inspiração iluminista, e correspondem a concepções europeias das elites, não tendo, portanto, qualquer raiz nas tradições e na cultura do povo, e povo daqui, com o peso de uma história social singular, que teve escravidão e chibata, é previsível um grande e significativo desencontro entre legitimidade e legalidade. Isso pode ser observado em outros âmbitos: a luta pela terra, agudizada nas últimas décadas, claramente decorre da recusa em reconhecer a legitimidade do direito de propriedade, que não incluiu nem reconheceu o direito costumeiro, que se tornou o direito dos pobres.

A questão é, portanto, uma questão historicamente crônica, decorrente da marginalidade política e social de grandes parcelas do povo. O conservadorismo a que me refiro é, de certo modo, um valor positivo. Eu o entendo na perspectiva mannheimiana, o pensamento conservador como sendo aquele construído em torno da tradição e da concepção de pessoa.[16] Há nele uma certa recusa de aceitar a fragmentação da pessoa, sua redução à condição de indivíduo e aos seus azares. Uma concepção com essa mesma raiz, através de Hegel, chega a Marx e se expressa no privilegiamento metodológico da noção de totalidade. É claro que essa é uma convergência remota. Mas, com isso quero dizer que, sociologicamente, o linchamento não é exatamente um crime, embora possa sê-lo. É uma forma autodefensiva de justiça, que tem como sujeito de referência a própria sociedade. Diferente, portanto, dos crimes comuns, praticados em nome do egoísmo do criminoso. Geralmente, os linchamentos são crimes praticados em nome da sociedade e de sua sobrevivência. A única forma de combatê-los é tornar a justiça eficiente e democrática, sobretudo atenta a uma concepção mais abrangente de crime e de justiça. É seguramente um erro aplicar aos participantes de linchamentos o mesmo direito que se aplica nos casos de crimes individuais e comuns, pois, o sujeito ativo do linchamento é um sujeito coletivo, muitas vezes comunitário.

***Plural*** *– A população é, então, conservadora, porque quer manter a ordem?*

**J.S.M.** – Ela se revela conservadora nos atos de linchar, porque lincha em nome de uma certa ordem, de uma certa ordenação das relações sociais, mediada por uma certa concepção de direito e de justiça. Um motivo não raro de linchamento é o assalto sistemático e organizado a trabalhadores em dia de pagamento ou mediante a cobrança de pedágio dos trabalhadores entre o trabalho e a casa. Nesses casos, os trabalhadores se organizam, se agrupam e, na primeira oportunidade, lincham seus opressores. É claramente uma forma de justiça social da vítima impotente em face daqueles que acrescentam injustiça e violência à exploração do trabalho. Nesse caso, o liberalismo e o formalismo jurídico dos chamados defensores dos direitos humanos, que pedem punição e justiça contra os trabalhadores injustiçados, porque lincharam, é claramente expressão de uma concepção burguesa do mundo e da vida. Uma concepção alheia às características sociais e culturais próprias de nossa sociedade. Alheia e simplista, pois esses casos envolvem um complexo modo de relacionamento entre as classes sociais, em que a exploração aparece acrescida de violência e injustiça explícitas. Não cabe sequer pensar em "aculturar" quem quer que seja.

Essa violência tem uma notória dimensão cultural, embora não se restrinja a ela.

***Plural*** *– Agora, esse conservadorismo está oposto a quê? A uma justiça liberal?*

**J.S.M.** – Ele está oposto aos equívocos e simplismos de uma justiça que está longe de ser verdadeiramente liberal, pois tem notórias características de uma justiça de classe, ainda fortemente referida à dominação patrimonial. Ele se opõe ao formalismo protelatório, burocrático e benevolente da justiça oficial, dos juízes e tribunais. Na concepção popular, a justiça deveria ser ao mesmo tempo repressiva e punitiva e, em grande número de casos de violência contra a pessoa, não deveria ter um caráter restitutivo e educativo. De nada adianta proclamarmos os grandes valores da civilização se, ao mesmo tempo, não asseguramos que todos os benefícios da civilização cheguem à totalidade do povo. O conservadorismo popular é autoprotetivo e é notoriamente pré-capitalista e pré-moderno. Ele proclama uma certa responsabilidade social do povo na preservação da sociedade e dos valores sociais mais fundamentais. Ao mesmo tempo, é corporativo, familista e comunitário, como não poderia deixar de ser. Nesse sentido é que é pré-capitalista e pré-moderno. Aparentemente, quando os estratos mais sofisticados, eruditos e modernos dos valores e normas são rompidos pelos seus próprios agentes, os policiais, os juízes e promotores, esses valores conservadores "subcutâneos" ganham vida e consistência. Não é toda a sociedade que lincha, mas é principalmente a população que vive nas chamadas áreas de deterioração social e de transição para o urbano e moderno, onde o novo se propõe precária e, não raro, violentamente.

***Plural*** *– Você acha que essa população não foi civilizada? Quer dizer, a gente poderia falar na ausência de um processo civilizatório?*

**J.S.M.** – De modo algum. Essa população expressa em certos atos e circunstâncias um outro estágio da civilização, quando a cultura estava organizada em torno da comunidade e da família, e dos valores comunitários. Pode-se e deve-se falar em crise do processo civilizatório e em sua precariedade em sociedades como a nossa, que tende para o superficial e o inacabado. Isso tem a ver com o fato de que saímos da escravidão há pouco mais de um século e, não obstante, ainda temos escravos em várias regiões do país. Uma sociedade em que a escravidão se renova e se renova pela mediação do capital mais moderno e desenvolvido. Tem a ver, portanto, com o fato de que a grande massa do povo, incluídos os imigrantes, foi destinada aos deveres do trabalho e não aos direitos da cidadania. Por longo tempo, ficou subjugada ao poder pessoal dos potentados da roça, à justiça privada e discricionária dos que têm dinheiro e poder. Essa é a justiça que o povo conhece. Justamente, por isso, a justiça institucional lida mal com os direitos, necessidades e aspirações dessas pessoas. Na verdade, raramente sabe lidar com eles e reparar apropriadamente os danos e injustiças que sofrem, embora no plano formal digam os seus funcionários que tudo foi feito de acordo com a lei.

***Plural** – Nós sabemos que você não quer pensar no modo de acabar com os linchamentos. Mas, se fôssemos fazer um exercício hipotético nesse sentido, a solução estaria muito mais na extensão da justiça que funciona no centro para a periferia da sociedade do que em um processo de educação dessa população?*

**J.S.M.** – Seria uma ingenuidade de minha parte supor que quase meio milhão de brasileiros participaram de linchamentos no último meio século porque não teriam recebido uma socialização apropriada ou uma educação civilizadora. Os sociólogos sabem que educar não se restringe a informar e, menos ainda, a conformar. Em face de casos de crianças pequenas estupradas, às vezes até pelo próprio pai, não há educação que convença as pessoas de que um longo período de prisão repare a grave injustiça contra um inocente. Em nossa cultura popular há, além disso, limites demarcatórios do humano, além dos quais se situa a besta e a bestialidade. Esses casos de estupro não raro vêm acompanhados de inexplicáveis manifestações de bestialidade. E já há casos de assassinos e estupradores que, escapando ou saindo da prisão, voltam a delinquir nos mesmos termos. Um caso assim ocorreu no interior de São Paulo: na reincidência, o criminoso estuprou e matou uma moça; não satisfeito, depois do enterro e antes de ser apanhado, violou o túmulo de sua vítima e estuprou o cadáver. Fica difícil convencer a população, especialmente quem está mais próximo da vítima, de que alguém assim é pessoa e igual, concepção que está na base do direito e da justiça formal.

Mais do que educar é necessário proteger a sociedade prioritariamente em relação ao criminoso. Na inversão de valores pelas quais passamos, os direitos dos criminosos se sobrepõem aos direitos de suas vítimas, que eles próprios não reconheceram. Aparentemente, os linchamentos decorrem do medo, um medo mais do que justificado. Na exteriorização desse medo, os linchadores exteriorizam valores e concepções do certo e do errado que têm raízes no passado, quando ao menos havia ordem, como observou Alberto Torres num clássico do ensaísmo social e político brasileiro.[17]

***Plural*** – *Mas a contradição que essa linha de raciocínio cria é que se se universalizasse a justiça, provavelmente os linchadores seriam os primeiros a ser punidos.*

**J.S.M.** – Não vejo contradição nessa linha de raciocínio, pois quem lincha não se considera criminoso: quem lincha entende que pratica justiça. É crime apenas do ponto de vista formal e teórico. Não é o mesmo crime do criminoso justiçado. A contradição, se há, está na organização judiciária da sociedade, na sua prática elitista.

***Plural*** – *Mas se a gente for lutar para que a nossa justiça chegue em todos os cantos do país, nós próprios teríamos que reivindicar a punição dos que fazem justiça com as próprias mãos.*

**J.S.M.** – Houve um caso em Santa Catarina, em 1987, que mostra os complicados dilemas resultantes dessa fetichização da justiça institucional. Numa pequena cidade do interior, os parentes e amigos de uma vítima de assassinato organizaram-se para invadir a cadeia e linchar o criminoso já preso. Danificaram o sistema de energia elétrica, puseram a cidade no escuro e invadiram a cadeia. O criminoso tinha sido removido para outra cidade, justamente porque as autoridades temiam o linchamento. Mas, encontraram lá o assassino de um outro membro da comunidade. Resolveram linchá-lo. Umas duzentas pessoas devem ter participado do ato, aparentadas com a maioria da população da localidade. Depois de um demoradíssimo inquérito, 24 pessoas foram identificadas e levadas a julgamento, em 1997, dez anos depois. Dessas 24, umas poucas haviam morrido e uma estava foragida, mas afinal se apresentou para o julgamento. Vinte foram julgadas, tendo o juiz tomado o cuidado de que não houvesse parentes dos réus no corpo de jurados. Apenas um foi condenado a sete anos de prisão, o mais pobre de todos eles. O que houve aí? Um novo linchamento, mesmo critério, mesma injustiça: o condenado tornou-se um bode expiatório, exatamente como acontece na maioria dos linchamentos. É essa justiça melhor do que a outra? Mais justa, objetiva e correta? E se condenasse os vinte, sabendo-se que quase toda a comunidade, de um modo ou de outro, participara da violência, teria sido justa?

O participante de um linchamento não é um criminoso igual aos outros. A rigor, nesse caso, os dezoito mil habitantes da localidade deveriam ser julgados e condenados. Mas, nesses casos, de homicídio, o corpo de jurados é escolhido entre os membros, os cidadãos, da própria comunidade. Condenariam eles a si próprios? A existência do júri popular para crimes de morte já delega à própria sociedade a definição de crime, a interpretação dos códigos. É cabível imaginar que tivessem originalmente agido pela motivação de justiça? Há casos de pequenas comunidades em que mulheres e crianças participaram do justiçamento que envolveu a todos. Quem você poria na cadeia?

Não defendo os linchamentos nem posso fazê-lo, como disse antes. Não cabe ao sociólogo cometer a mesma barbaridade que os linchadores cometem, julgando-os segundo um padrão elitista e injusto de justiça, pois resultante do desconhecimento da sociedade a que é aplicado, e advogando descabidamente pela sua condenação e prisão. Justamente, porque é outro crime, um crime da comunidade, um crime em nome da sobrevivência da sociedade, um crime autodefensivo. O tratamento tem que ser completamente outro. Cabe ao sociólogo tão somente ajudar a compreender acontecimentos assim.

***Plural*** – *Em seu último artigo sobre os linchamentos, você fala que eles são irracionais. No entanto, em casos que você mesmo conta, em que a população pega, prende, chama as mulheres, as crianças– e você ainda diz que é um momento em que a população* *toma consciência de que a justiça não funciona, o que torna mais provável a recorrência do linchamento – em que sentido tudo isso é irracional? O que você chama de irracional?*

**J.S.M.** – Os linchamentos são irracionais por dois motivos, ao menos. De um lado, porque não são racionais, não se baseiam na concepção de uma justiça distribuída por um juiz, um terceiro em relação às partes, capaz de isenção e objetividade, como é próprio do nosso sistema judicial. De outro lado, são irracionais na medida em que, apesar de se poder descrever uma sequência de atos aparentemente pensados de seus participantes, o ato em si do linchamento é um ato de loucura coletiva, não raro mediante participação de um número crescente de pessoas contaminadas pela ideia do justiçamento ou da vingança. O louco também é capaz de pensar em sequência. Nos ritos de possessão ou transe, a sequência dos atos, justamente rituais, não lhes dá um caráter racional, embora sejam atos numa certa instância pensados. Uma certa racionalidade não está na sequência, está na premissa. Há casos de participantes de linchamento presos no ato ou em momento sucessivo, ainda no instante da tensão, pessoas reconhecidamente pacíficas, que a própria polícia descreve como se estivessem fora de si. Um caso que costumo citar é o de uma velhinha, reconhecidamente pacífica, que, com uma colher, estava tentando arrancar os olhos de um adolescente há pouco linchado pela multidão de que ela fazia parte. A polícia teve enorme dificuldade para tirá-la de cima do cadáver, pois estava completamente fora de si. Foi levada para a delegacia e depois para o hospital. Quando voltou a si, disseram-lhe que ela estava tentando arrancar os olhos do morto, o que ela negou veementemente.

Coisa parecida aconteceu no Estádio do Pacaembu, aqui em São Paulo, em que duas torcidas rivais desencadearam uma ação de recíproco linchamento. É possível ver, nas fitas de vídeo, exatamente o que aconteceu em vários casos: as pauladas eram dadas independente de motivo, até mesmo sem que o agressor percebesse que havia um agredido. A identificação, prisão e processo de um único participante da violência aparentemente satisfaz a aspiração pequeno-burguesa de justiça formal, afinal há um bode expiatório. Mas, é óbvio que se trata de uma injustiça, pois o crime ali foi um crime coletivo, até mesmo com a provocação e conivência das vítimas.

***Plural*** – *Isso é uma característica de todo linchamento?*

**J.S.M.** – Todo linchamento tende a ser assim, você tem uma dose maior ou menor de irracionalidade. Como também ocorria nos Estados Unidos, há casos em que os linchadores se organizam em grupos para linchar uma pessoa em outra cidade ou em outro lugar. Os taxistas fazem muito isso aqui no Brasil. Organizam caravanas para pegar alguém e linchar. Outras vezes, os linchadores se organizam, caso frequente de linchamentos praticados por vizinhos e moradores, os linchamentos comunitários. Num caso aqui em São Paulo, uns anos atrás, a vítima foi um rapaz, viciado em drogas, morador numa favela do bairro, que vivia cometendo violência contra a vizinhança. Era casado e tinha família. Um dia os moradores que iam habitualmente à padaria, de manhã, para comprar o pão e o leite, começaram a comentar seus feitos da véspera. Foram ficando na padaria e se aglomerando. Aí, espontaneamente, se constituíram em tribunal e julgaram o vizinho marginal. Designaram alguns para irem ao seu barraco, agarrá-lo e trazê-lo à presença dos demais. Deram-lhe a palavra para que se defendesse. Sua sentença de morte foi então anunciada. Perguntaram se queria despedir-se da família. Ofereceram-lhe um último cigarro. Depois, alguém deu a primeira paulada e os demais completaram a execução. Tudo muito frio e calculado. Mas, em tudo um completo ato de loucura: na justiça racional e moderna o juiz não é, não pode nem consegue ser ao mesmo tempo carrasco. É preciso muito medo e muito ódio ao mesmo tempo para consumar uma execução assim.

***Plural*** – *Nos seus artigos sobre linchamento, você fala da reivindicação dos familiares da vítima, de participar da punição. Nesses casos de invasão da delegacia fica evidente essa reivindicação. Não só de querer qualquer punição, mas querer uma punição muito específica. Já na análise que você fez daquele crime de 1928, no último capítulo de* Subúrbio, *você faz duas perguntas: "Em que momento o crime começou a acontecer? Em que momento o grupo começou a produzi-lo?" Você conclui que o crime começou a se produzir nas relações aparentemente inocentes de todos os dias. Essa concepção sociológica do crime está em desacordo com a noção de responsabilidade individual do sistema penal. Você considera que essas duas análises que você fez, em momentos diferentes, podem ser traduzidas numa crítica ao sistema penal?*

**J.S.M.** – Eu não creio que a análise sociológica tenha que fazer qualquer concessão ao sistema penal ou ao código penal e seus valores. A sociologia não é instrumento dessas modalidades de conhecimento e controle social. Ao contrário, a sociologia que deve ser sempre, também, sociologia do conhecimento, deve examiná-las, como objetos de conhecimento crítico. E em parte essa crítica vem do confronto entre o real e o institucional. A concepção de responsabilidade individual pelo crime está referida a tradições jurídicas geralmente em conflito com a realidade social e cultural da maioria do povo. Quando transplantadas para países como o nosso, de escassa difusão e realização da cidadania e de forte importância do poder pessoal e da justiça privada, como eu disse antes, tornam-se instituições em grande parte postiças. Mas, não era isso mesmo que queriam os que as introduziram em nossas leis? Não foram elas feitas para proteger as elites contra as classes perigosas? Nesses casos, o objetivo da lei e das instituições é o de assegurar que os valores e concepções dos que devem ser subjugados e submetidos à disciplina dominante não se insurjam nem façam prevalecer sua própria concepção de justiça contra os que os oprimem.

Nesse sentido, análises como a minha apontam o desencontro a que me refiro, mostram, demonstram. E, se um dia alguém puder reformar tudo, poderão ser uma referência para uma revisão desse desencontro. Isso só será possível quando o país for efetivamente um país democrático, quando houver justiça para todos indistintamente, quando cada habitante for também um cidadão de verdade e não apenas um cidadão nominal.

As barbaridades que essa justiça institucional de superfície podem cometer ficam bem exemplificadas no caso de Aparecido Galdino Jacinto. Trabalhador rural do interior de São Paulo, foi inicialmente acusado de curandeirismo, depois (na impossibilidade de condená-lo por isso) acusado de subversão e, enfim, sendo impossível condená-lo também por isso, foi considerado louco e confinado no Manicômio Judiciário durante oito anos.[18] Juízes e funcionários da justiça agiram contraditoriamente e injustamente.

No caso do operário italiano de São Caetano,[19] ele anunciara com antecedência o crime que iria cometer, comentara sua intenção com várias pessoas, chegou a montar o cenário do crime diante de outras pessoas. Além disso, toda a população participava de diferentes modos da farsa de considerá-lo e de se considerarem membros de uma comunidade acima das classes e das diferenças de classe. Quando o operário começou a levar às últimas consequências, inclusive no plano afetivo, a comunidade aí suposta, e percebeu que ela não era verdadeira, cometeu o crime. O crime se consumou porque ninguém acreditava que pudesse existir uma brecha na cultura comunitária que unia os opostos: o empregado e o patrão. Portanto, todos os moradores participaram de diferentes modos da preparação do crime (um deles até emprestando a arma ao criminoso) que acabou sendo praticado por um só. Evidentemente, as pessoas nem sabiam que estavam envolvidas na produção do crime e de fato estavam. Se todos tinham conhecimento da morte anunciada e de sua possibilidade, porque não interferiram para que não acontecesse? Porque, se interferissem, teriam que reconhecer a farsa do dia a dia, da máscara comunitária que recobria uma vida cotidiana de desigualdades e de exploração. Em sociedades em que o moderno é superficial, esses crimes podem ocorrer e ocorrem. É o caso dos linchamentos.

O filme *Apocalipse Now,* do diretor Francis Ford Coppola, de 1979, é a metáfora de fatos dessa ordem. É um filme que denuncia e desmascara a superficialidade das versões oficiais e oficiosas da guerra do Vietnã. O enredo gira em torno da história de um coronel que escapara ao controle da máquina militar americana e refugiara-se no Cambodja, cercado de seguidores fanáticos. Ele estava agindo por conta própria e não como membro de um corpo maior. Deixara-se enredar pelo estranho mundo daqueles a quem deveria combater. Sabe que vai ser morto por aquele que o encontra. Nesse sentido, personifica o inútil sacrifício humano que foi a guerra do Vietnã. Para demonstrá-lo, o autor da história mobiliza a dimensão antropológica da ocorrência, aparentemente desconfiado de que os espectadores poderão não perceber essa intenção do filme – entre os guardados da vítima, aparece o livro de James Frazer, *O Ramo de Ouro,*[20] um estudo antropológico sobre o sacrifício humano. Uma citação, uma nota de rodapé para indicar o que de fato está acontecendo.

Frequentemente nos crimes comunitários, a ideia do sacrifício está presente e o anúncio de que alguma coisa vai acontecer se desenha aos poucos no cenário.

No terceiro volume de *Subúrbio*, que estou preparando e espero concluir um dia, há um outro crime. Nesse crime, o filho mata o pai, degolando-o com uma navalhada no dia de Natal. O crime acontece como momento ritual numa sequência de rituais, sem que os protagonistas percebessem claramente o que estava acontecendo. Apenas o pai desconfiou de que caminhava para um rito sacrificial. No entanto, o próprio processo judicial, lido sociologicamente, vai mostrando a construção social do crime e o cumprimento inevitável do sacrifício. Nesse crime se encerra uma época da história social da comunidade. É ele que demarca o fim de uma coisa e o começo de outra. No entanto, foi condenado um só, o filho que matara o pai. Pouco depois de cumprir sua pena, o assassino morreu. Não foi sepultado no túmulo a que tinha direito, o da família, desde o tempo do avô, porque cometera crime de sangue contra seu próprio sangue e não podia ser sepultado na tumba de sua vítima. Foi sepultado em outro cemitério, no túmulo de um parente. Também não ficou aí e acabou sendo removido para outra sepultura. O sangue derramado no rito sacrificial mobilizou interdições e demarcações que continuaram vivas e ativas mesmo depois da morte dos dois protagonistas.

**Plural** – *Quer dizer, ao mesmo tempo que a gente tem que lutar para universalizar esse sistema judicial, tem que fazer a crítica dele também?*

**J.S.M.** – A luta deve ser para aperfeiçoá-lo e democratizá-lo para que possa ser universalizado. A crítica sociológica e antropológica é um momento fundamental de seu aperfeiçoamento.

**Plural** – *O problema não está só na operacionalização da justiça, está na sua própria essência.*

**J.S.M.** – Na sua própria essência, sem dúvida.

**Plural** – *Você trata aquele crime descrito em* Subúrbio *como um crime coletivo e a comunidade não estava participando do crime, naquele momento. O sistema penal jamais aceitaria uma argumentação dessas.*

**J.S.M.** – Com certeza.

**Plural** – *Como você pensa isso?*

**J.S.M.** – Quando se faz uma análise sociológica desse tipo, sobre um crime com essas características, o objetivo não é o de convencer o juiz de que ele está errado e de que o padrão de aplicação da justiça deveria ser outro. Nem acho que em países ainda distantes da universalização do direito e da cidadania a condenação tenha que ocorrer sempre, como você sugere em suas perguntas: para cada crime teria que haver um réu – o que fazer com o criminoso coletivo? A guerra tem suas justificativas e suas isenções. No entanto, nela também se mata e muito. Por que, então, o crime coletivo deveria ser penalizado como crime individual e doloso se a guerra não o é? É preciso começar perguntando o que é crime numa sociedade determinada, uma sociedade como a nossa. Nem sempre são os juristas, legisladores e juizes que decidem isso. Formalmente são eles; de fato nem sempre são. O estudo sociológico desses casos e de ocorrências similares serve mais ao conhecimento da sociedade que age contrariamente aos ideais jurídicos que lhe foram impostos, supostamente em seu próprio benefício. O problema não está na sentença ou na definição do sujeito do delito. Para o sociólogo, o problema está no desencontro a que me refiro. Ele é que deve ser sociologicamente compreendido e explicado para que a sociedade tenha alguma consciência de seus dilemas e contradições, das dificuldades para que torne reais certos valores e aspirações.

***Plural*** – *A justiça restitutiva responderia em certa medida ao anseio das vítimas de serem restituídas da violação que sofreram e até de interferir no julgamento do agressor?*

**J.S.M.** – A justiça restitutiva seria aquela que condenasse o autor de um delito a uma pena temporária e educativa, alguém que tivesse cometido um ato antissocial, e depois o devolvesse reeducado e recuperado à sociedade. O ato de justiça seria sua reintegração na sociedade e não a vingança da vítima contra ele. Os linchamentos indicam justamente que a sociedade não cultiva tais valores e concepções. Ela não faz justiça, faz justiçamento, um desdobramento da vingança e da repressão. A consciência de uma justiça restitutiva, que pune e, de certo modo, perdoa ao mesmo tempo, depende de um alto grau de desenvolvimento social, coisa que de fato não temos.

***Plural*** *– Nós gostaríamos de explorar essa sua atitude prudente em relação à sociologia. Em que recanto estaria, hoje em dia, a produção do novo na sociologia?*

**J.S.M.** – O mundo mudou e a sociologia não mudou tanto. Um sintoma desse desencontro é o ensaísmo social oferecido como sucedâneo da sociologia propriamente dita; um retorno à filosofia social, um refúgio. O mundo se diversificou em relação aos tempos da sociologia clássica, seus grandes temas históricos e sua realidade bem estruturada. Como mostraram os sociólogos marxistas sensíveis e os sociólogos fenomenologistas, o "mundo" foi ganhando vida, cada vez mais, através dos processos sociais miúdos do cotidiano. Tanto uma sociologia quanto outra reconheceram essa mudança e desenvolveram técnicas e recursos para mudar com ela, com as novas realidades sociais da mistificação e da manipulação. Isso não quer dizer que os "grandes processos" já não existam e que as grandes estruturas não estejam em causa. Quer dizer, apenas, que a sociedade está mais complicada. Ao mesmo tempo, a sociologia revelou-se modesta e tímida em face dessa diversidade; sobretudo abriu mão de algumas de suas características fundantes, especialmente a de ser consciência social a serviço do gênero humano, de sua historicidade (como se vê em em Marx e mesmo em Durkheim e outros autores).

Isso pode ser percebido na comparação entre a sociologia e a antropologia. Basta comparar as pautas dos respectivos congressos internacionais. A antropologia vem capturando temas sociológicos da maior importância, como os relativos ao imediato. Enquanto isso a sociologia se perde na tentativa vã de retornar aos grandes temas estruturais, perdendo-se em assuntos de alcance limitado, como o da globalização ou o da exclusão (embora temas, obviamente, relevantes).

Ao mesmo tempo, a sociologia afastou-se do diálogo e do intercâmbio com as disciplinas vizinhas e auxiliares, como a antropologia, a história, a geografia, a psicologia.

Aqui no Brasil há problemas adicionais. A "escola sociológica" da USP, que teve em Florestan Fernandes uma de suas figuras maiores, produziu suas melhores obras na perspectiva desse diálogo e desse intercâmbio. Daí resultaram, também, suas contribuições teóricas mais importantes, algumas de impacto internacional.

Fui professor em Cambridge e viajo frequentemente à Europa. A sociologia chegou à Inglaterra, à Itália, à Espanha e a Portugal muito depois de ter chegado ao Brasil. Quando Florestan Fernandes já publicava seus trabalhos teóricos de impacto internacional, como seus estudos sobre o método funcionalista (citados por Robert K. Merton), a sociologia estava apenas começando nesses países. Alguns grandes nomes da sociologia inglesa e italiana, facilmente traduzidos e divulgados no Brasil, como é necessário, estão basicamente repetindo os passos de Florestan Fernandes. Sugiro que se compare passo a passo os trabalhos fundamentais de Giddens e de Ferrarotti com os de Florestan.

Em nosso caso, um dos sintomas graves da crise, especialmente grave aqui na Faculdade de Filosofia, é a brasilianização da nossa sociologia, o abandono da sociologia enraizada, como deve ser a sociologia de tradição clássica, que era a sociologia do grupo da USP. Em vez de dar continuidade a essa sociologia de ponta, o que observamos depois das cassações de 1969 foi sua progressiva substituição pelo sucedâneo, pelos pensadores sociais: Foucault, Nietzche, Arendt, Freud, Habermas. É óbvio que esses autores têm um papel essencial no diálogo dos sociólogos, mas os sociólogos precisam compreender a necessidade do passo seguinte: passando por eles (e por outros), chegar de fato à sociologia e à sociologia enraizada, enredada com a História e o destino. A grande tradição sociológica da USP, infelizmente, está ameaçada na base por várias modalidades de recusa.[21]

## NOTAS

* Entrevista publicada originalmente em ***Plural*** – *Revista do Curso de Pós-graduação em Sociologia*, n. 5, Departamento de Sociologia da Faculdade de Filosofia, Letras e Ciências Humanas, Universidade de São Paulo, São Paulo, 1º. semestre 1998, pp. 129-164.

1 Cf. José de Souza Martins, ***Subúrbio***, cit.

2 Cf. Henri Lefebvre, ***La Revolución Urbana***, cit., p. 11. Cf., também, Henri Lefebvre, ***O Direito à Cidade***, tradução T.C. Netto, Editora Documentos Ltda., São Paulo, 1969, p. 49.

3 Cf. Carlo Ginzburg, ***O Queijo e os Vermes*** *(O cotidiano e as ideias de um moleiro perseguido pela Inquisição)*, trad. Maria Betânia Amoroso, Companhia das Letras, São Paulo, 1987.

4 Cf. Carlo Ginzburg, ***Il Giudice e lo Storico*** *(Considerazioni in margini al processo Sofri)*, Einaudi, Torino, 1991.

5 Sobre as nuances da chamada exclusão social, que é de fato um processo de inclusão perversa, na multiplicidade de privações que gera, cf. José de Souza Martins, ***Exclusão Social e a Nova Desigualdade***, 2. ed., Editora Paulus, São Paulo, 2003.

[6] Para um estudo comparativo das substantivas diferenças de situação social e de classe social entre operários e camponeses, cf. José de Souza Martins, ***A Sociedade Vista do Abismo***, 2. ed., Editora Vozes, Petrópolis, 2003, pp. 49-117.

[7] Cf. Karl Marx e Frederick Engels, ***Selected Correspondence***, Progress Publichers, Moscow, 1965, pp. 339-340.

[8] Cf. *José María Aricó*, ***Marx y América Latina,*** Alianza Editorial Mexicana, México, 1982.

[9] Cf. Franco Venturi, ***Il Populismo Russo***, 3 volumes, Piccola Biblioteca Einaudi, Torino, 1977 (1. ed.: 1952).

[10] Cf. Chantal de Crisenoy, ***Lenine Face aux Moujiks***, Eidtions du Seuil, Paris, 1978.

[11] Cf. Florestan Fernandes, ***Ensaios de Sociologia Geral e Aplicada***, Pioneira, São Paulo, 1960, pp. 411-412.

[12] Cf. Theodor W. Adorno, "Sobre estatica y dinâmica como categorias sociologicas", *in* Max Horkheimer e Theodor W. Adorno, ***Sociológica***, Taurus Ediciones S.A., Madrid, 1966, pp. 295-317, esp. p. 302.

[13] Cf. Karl Marx, ***Selected Writings in Sociology and Social Philosophy***, Edited by T. B. Bottomore and Maximilien Rubel, Penguin Books, Harmondsworth, 1963, pp. 210-218.

[14] Cf. Karl Marx, ***The Story of the Life of Lord Palmerston*** [1853], International Publishers, Moscow, 1969. Pela mesma época em que escreveu o texto sobre Lord Palmerston, estava Marx interessado em estudar a relação entre biografia e história, sobretudo o desencontro entre as histórias pessoais e a história social e política. Num desses textos, escreveu "as coisas mais triviais que passam pela cabeça de todas as pessoas triviais convertem-se em acontecimentos transcendentais". Cf. Carlos Marx, ***Héroes del Destierro***, trad. Isabel Fraire, Editorial Domés S.A., México, 1981, p. 9. É também dessa época o livro sobre o Dezoito Brumário de Luís Bonaparte, em que Marx analisa a imitação biográfica de Napoleão por Luís Bonaparte e faz a famosa constatação de que "os homens fazem sua própria história, mas não a fazem como querem (...)" Cf. Karl Marx, "O 18 Brumário de Luís Bonaparte", *in* K. Marx e F. Engels, ***Obras Escolhidas***, v. I, Editorial Vitória, Rio de Janeiro, 1961, p. 203.

[15] Cf. José de Souza Martins, "Linchamentos: a vida por um fio", ***Travessia***, Centro de Estudos Migratórios, São Paulo, maio-agosto 1989, pp. 21-27; "As condições do estudo sociológico dos linchamentos no Brasil", ***Estudos Avançados***, v. 9, n. 25, Instituto de Estudos Avançados da Universidade de São Paulo, setembro/dezembro 1995, pp. 295-310; "Linchamento, o lado sombrio da mente conservadora". ***Tempo Social –*** *Revista de Sociologia da USP*, v. 8, n. 2, outubro de 1996, pp. 11-26.

[16] Cf. Karl Mannheim, ***Essays on Sociology and Social Psychology***, Routledge and Kegan Paul Ltd., London, 1959, pp. 74-119.

[17] Cf. Alberto Torres, ***O Problema Nacional Brasileiro***, Imprensa Nacional, Rio de Janeiro, 1914.

[18] Cf. José de Souza Martins, ***A Militarização da Questão Agrária no Brasil***, Editora Vozes, Petrópolis, 1984, pp. 113-127.

[19] Cf. José de Souza Martins, ***Subúrbio***, cit., pp. 299-354.

[20] Cf. James George Frazer, ***O Ramo de Ouro*****,** Rio de Janeiro, Guanabara, 1982.

[21] Eliminei a parte final da entrevista publicada em *Plural* porque trata de problemas específicos de funcionamento do curso de pós-graduação em Sociologia do Departamento de Sociologia da Faculdade de Filosofia, Letras e Ciências Humanas da Universidade de São Paulo e não tem, pois, relação com os temas deste livro. Nesta segunda edição, eliminei também as perguntas e as extensas respostas relativas à reforma agrária porque desatualizadas. Sua atualização as tornaria completamente estranhas ao conjunto do livro e seu eixo principal.

# O AUTOR

**José de Souza Martins** é um dos mais importantes cientistas sociais do Brasil. Professor titular de Sociologia da Faculdade de Filosofia, Letras e Ciências Humanas da Universidade de São Paulo (FFLCH – USP), foi eleito *fellow* de Trinity Hall e professor da Cátedra Simon Bolívar da Universidade de Cambridge (1993-1994). É mestre e doutor em Sociologia pela USP. Foi professor visitante na Universidade da Flórida (1983) e na Universidade de Lisboa (2000). Autor de diversos livros de destaque, ganhou o prêmio Jabuti de Ciências Humanas em 1993 – com a obra *Subúrbio* – e em 1994 – com *A chegada do estranho*. Recebeu o prêmio Érico Vannucci Mendes do Conselho Nacional de Desenvolvimento Científico e Tecnológico (CNPq) em 1993 pelo conjunto de sua obra e o prêmio Florestan Fernandes da Sociedade Brasileira de Sociologia em 2007.